Een tevreden natie

EEN TEVREDEN NATIE

Nederland van 1945 tot nu

MAARTEN VAN ROSSEM
ED JONKER
LUUC KOOIJMANS

TIRION-BAARN

Eindredactie / beeldresearch: Gemma Coumans
Vormgeving: Mariska Cock
Omslagontwerp: Hans Britsemmer
Begeleiding: drs. Yolande Michon
Uitgever: Henk J. Schuurmans

Maarten van Rossem schreef hoofdstuk 1 en 6, Ed Jonker hoofdstuk 2 en 4,
en Luuc Kooijmans hoofdstuk 3, 5 en 7.

CIP-GEGEVENS KONINKLIJKE BIBLIOTHEEK, DEN HAAG
Jonker, Ed

Een tevreden natie: Nederland van 1945 tot nu / Ed Jonker;
Maarten van Rossem, Luuc Kooijmans. - Baarn: Tirion. - Ill.
Met reg.
ISBN 90-5121-383-2 pb.
SISO 935.6 NUGI 642
Trefw.: Nederland; geschiedenis; 1945 - 1993

Inhoud

Voorwoord

Opinie-onderzoekers in verschillende landen komen steeds weer tot dezelfde conclusie: Nederlanders zijn, na de Denen, de meest tevreden burgers ter wereld. Die tevredenheid is begrijpelijk. Het politieke, economische en culturele klimaat stelt de modale Nederlander in staat een bijzonder comfortabel en aangenaam leven te leiden. De welvaart in Nederland is niet alleen groot, maar ook verhoudingsgewijs evenwichtig verdeeld.

Vlak na de Tweede Wereldoorlog zag Nederland er heel anders uit dan nu. Ons land had toen nog maar zo'n negen miljoen inwoners en was veel minder vol. Vrijwel niemand had nog een auto en al helemaal geen televisietoestel. Nederlanders gingen braaf ter kerke, aten nooit buiten de deur en stemden op partij- en waar ze altijd op gestemd hadden.
Deze gewoonten veranderden echter tussen 1965 en 1975 snel- ler en grondiger dan in enig ander land ter wereld. Zo kan de daling van het aantal geboorten in die tien jaar zonder meer als revolutionair worden beschouwd. Tegelijkertijd holde het aan- tal kerkgangers achteruit en verloren de confessionele partijen een derde deel van hun kiezers. De Nederlanders werden tole- ranter, maar vooral individualistischer.
Natuurlijk had de ontwikkeling van de welvaart ook zijn keer- zijden. Men hoeft hierbij alleen maar aan de milieuproblematiek te denken, waarvoor in de jaren vijftig de kiem werd gelegd, maar die pas in de jaren zeventig als probleem werd ervaren.

In *Een tevreden natie* beschrijven drie historici het hoe en waar- om van dit veranderingsproces. Met een goed oog voor opmer- kelijke details schilderen zij een boeiend beeld van het Nederland van kort na de Tweede Wereldoorlog tot nu. Daarbij gaan zij natuurlijk ook de schaduwzijden van onze welvaarts- groei niet uit de weg.

Een tevreden natie zal bij velen een glimlach van herkenning oproepen, maar zal daarnaast ongetwijfeld boeiende achtergrondinformatie verschaffen over verschillende ontwikkelingen die tegenwoordig het leven van alledag bepalen.

De uitgever.

1. Herstel en vernieuwing

1945-1952

Momentopname

Zo'n vijfenveertig jaar geleden was Nederland een heel ander land. Het was niet alleen veel minder welvarend, het was ook vooral veel minder vol. Per 1 januari 1945 woonden er 9.220.000 mensen in Nederland; per 1 januari 1993 zijn dat er ruim vijftien miljoen. Dat betekent dat de bevolkingsdichtheid is toegenomen van 277 tot 438 inwoners per vierkante kilometer. De ruim negen miljoen inwoners beschikten in 1947 over 2.117.000 woningen; de vijftien miljoen van nu over 5.802.000 woningen. Het aantal inwoners per wooneenheid is daardoor gezakt van ruim vier naar minder dan drie. Terwijl het buiten dus veel voller werd, werd het binnen minder vol.

Parkeerproblemen waren er in 1945 niet. Het aantal auto's van 1939 was ten gevolge van de oorlog meer dan gehalveerd. Er waren in 1945 nog maar 47.000 auto's over. Nu zijn er in Nederland 5.251.000 auto's. Het aantal rijbewijsbezitters, 7.949.000, is op dit moment niet zo heel veel kleiner dan de hele Nederlandse bevolking in het jaar van de bevrijding. De incidentele autobezitter van 1945 had 87 kilometer autosnelweg tot zijn beschikking voor het geval hij eens door wilde rijden, als hij tenminste aan de noodzakelijke benzine kon komen. In 1989 beschikte Nederland over 2048 kilometer autosnelweg.

De groei van welvaart en bevolking had nog meer schaduwzijden. Direct na de oorlog leefden er in de Zeeuwse delta nog vijftienhonderd zeehonden, in de Waddenzee ruim vijfentwintighonderd. De zeehondenpopulatie in Zeeland is verdwenen, die in de Waddenzee sterk afgenomen. Zo gezond en aangenaam het leven voor de zeehonden in 1945 was, zo ongezond en gevaarlijk was het voor de Nederlanders. Door de hongerwinter en de oorlogshandelingen was de sterfte per duizend inwoners in 1945 ruim tweemaal zo hoog als in 1989.

In de jaren direct na de oorlog werd Nederland nog niet geteisterd door een overvloed van auto's en neonreclames. Deze foto van de Damstraat in Amsterdam doet denken aan een provincieplaats op zondagmiddag.

Bevrijding

Het zuiden van Nederland werd in de herfst van 1944 bevrijd. Door de verloren slag om Arnhem stokte daarna de opmars van de gealiieerde legers, zodat het noorden van het land tot 5 mei 1945 op zijn bevrijding moest wachten. Deze gefaseerde bevrijding, die met zich meebracht dat het front ruim een half jaar dwars door Nederland liep, had aanzienlijke en zeer onaangena-

11

me consequenties. Het zuiden was frontgebied en liep daardoor op tal van plaatsen grote oorlogsschade op. Het noorden werd door de geallieerde bezetting van het zuiden afgesneden van de aanvoer van Limburgse kolen, waardoor industrie en transport grotendeels tot stilstand kwamen.

Duitse strafmaatregelen vanwege de spoorwegstaking (uitgeroepen om de Duitsers te hinderen bij de bestrijding van de geallieerde opmars) en de invallende winter legden ten slotte het hele transportsysteem lam. Zo stagneerde de voedselvoorziening van westelijk Nederland en dat leidde tot de hongerwinter, die direct en indirect aan meer dan twintigduizend mensen het leven kostte. In deze laatste oorlogsmaanden ging de bezetter bovendien over tot roof en verwoesting op grote schaal.

Dat de capitulatie van de Duitsers een enorme opluchting was die euforische gevoelens veroorzaakte, valt te begrijpen, zeker gezien de verschrikkingen van het laatste oorlogsjaar. De euforie, het gevoel dat alle narigheid voorgoed voorbij was en dat Nederland kon beginnen aan een nieuw, vrolijk hoofdstuk van zijn geschiedenis, duurde maar enkele maanden. Spoedig werd duidelijk dat de natie zich gesteld zag voor enorme problemen, die niet in een handomdraai konden worden opgelost.

De verwoestingen waren in Nederland ernstiger dan in andere Westeuropese landen en dat betekende dat het herstel meer tijd en geld zou kosten dan elders. Dat betekende ook dat het dagelijks leven nog jaren uiterst moeizaam en karig zou zijn. Het gebrek aan deviezen en het wegvallen van Nederlands belangrijkste handelspartner, Duitsland, belemmerden bovendien het herstel.

Op de middellange termijn moest Nederland rekening houden met het wegvallen, of op zijn minst de aanzienlijke vermindering, van de bijdrage die Nederlands-Indië leverde aan het nationaal inkomen. Op de lange termijn diende de Nederlandse overheid werkgelegenheid te creëren voor een fenomenaal snel groeiende bevolking. Het geboortenoverschot was in Nederland relatief veel groter dan in andere Westeuropese landen en begon pas na 1964 snel te dalen (geboortenoverschot 1964: 157.000, 1974: 77.000). De industrialisatie die voor de noodzakelijke werkgelegenheid zou moeten zorgen, had bovendien rekening te houden met de grote veranderingen in de internationale markt voor industriële produkten.

Naast de dringende economische problemen waren er nog twee zaken die veel politieke energie en grote financiële inspanningen vroegen: de onafhankelijkheidsstrijd van de Indonesische Republiek en de Koude Oorlog. De dreigende aanwezigheid van de Sovjetunie maakte dat Nederland zijn traditionele neutraliteitspolitiek moest verruilen voor een alliantie-politiek. Ten slotte was er nog een moeizame, en zelfs vrij kostbare kwestie: de berechting en zuivering van al diegenen die in de oorlog in meerdere of mindere mate fout waren geweest.

Vernieuwing?

In mei 1945 verscheen het kabinet-Schermerhorn op het politieke toneel. Dit eerste naoorlogse kabinet had eigenlijk een waar nationaal kabinet moeten zijn, maar was dat in het geheel niet.

Kopstukken uit het kabinet-Schermerhorn. Van links naar rechts: minister-president W. Schermerhorn, minister van sociale zaken W. Drees, minister van onderwijs G. van der Leeuw en minister van economische zaken H. Vos.

Om uiteenlopende redenen maakten communisten en antirevolutionairen geen deel uit van het kabinet, terwijl die toch in het verzet een prominente rol hadden gespeeld.

Het kabinet moest natuurlijk in de allereerste plaats orde op zaken stellen en een begin maken met het herstel van de oorlogsschade. Het kabinet wilde echter veel meer dan dat: het wilde de bakens verzetten. Het was in de greep van de gedachte dat het Nederlandse politieke, sociaal-economische en culturele bestel ingrijpend vernieuwd moest worden. Het was ook van oordeel dat de overheid in dat vernieuwingsproces een centrale rol diende te spelen.

Het kabinet-Schermerhorn was geen parlementair kabinet. Het rustte in feite alleen op het vertrouwen van de koningin, die ook een warm voorstandster was van de vernieuwingsgedachte. Niet alleen was het kabinet-Schermerhorn geen parlementair kabinet, het werd zelfs in zijn ambitieuze voornemens in het geheel niet gehinderd door de kritiek en controle van de volksvertegenwoordiging. In Londen was al besloten dat het parlement van 1940 na de oorlog geen prominente rol zou spelen, terwijl pas in mei 1946 verkiezingen zouden worden gehouden. Zo was er een heel jaar waarin de oude orde terzijde zou staan en de vernieuwingsgedachte een kans zou krijgen. Het Nederlandse volk zou na een nationaal debat kunnen beslissen over de nieuwe vormen.

Het oude parlement kwam in september 1945 bijeen als Tijdelijke Staten-Generaal en kreeg als enige opdracht een wetsontwerp te behandelen over de aanvulling van de tijdens de oorlog in de beide kamers opengevallen plaatsen. Het aangevulde parlement vergaderde vanaf november 1945 als Voorlopige Staten-Generaal, maar het kabinet trok zich van deze Voorlopige Staten-Generaal niet veel aan en regeerde vrolijk bij decreet. Naderhand waren velen van mening dat de volksvertegenwoordiging al te lang buiten spel was gezet. Die kritiek is zeker ten dele juist, al zouden verkiezingen direct na de bevrijding vanwege de verwarde toestand in het land zeker onmogelijk zijn geweest.

De vernieuwingsideeën die in de eerste maanden bij zo vele prominenten zo krachtig leefden, waren een produkt van de crisisjaren en de bezettingstijd. Zij vormden een wonderlijk amalgaam van progressieve en autoritaire denkbeelden. In de crisisjaren was er veel kritiek geweest op het functioneren van het parlement en werd er van allerlei kanten voorgesteld het gezag van de overheid aanzienlijk te versterken.

Dat het parlement, en eigenlijk het hele politieke bestel, slecht functioneerde werd allerwegen geweten aan het verzuilde, sterk gesegmenteerde karakter van de Nederlandse politiek. De verzuiling, zo meenden de voorstanders van de vernieuwing direct na de bevrijding, zou moeten worden doorbroken zodat het Nederlandse volk veel meer als een daadkrachtige eenheid zou kunnen optreden. Het gevoel dat de volkseenheid bevorderd moest worden, werd door de nationale saamhorigheid die de bezettingsjaren hadden veroorzaakt aanzienlijk versterkt. Ook de economie had slecht gewerkt in de jaren dertig, wat in die jaren natuurlijk vrijwel overal het geval was. De recepten ter verbetering van de economische gang van zaken, hoewel in hun uitwerking zeer verschillend, kwamen in essentie allemaal op

hetzelfde neer: er moest meer planning en ordening komen.

De belangrijkste drager van de vernieuwingsgedachte na de bevrijding was de Nederlandse Volksbeweging (NVB), die tijdens de oorlog was voorbereid in gespreksgroepen in St.Michielsgestel, waar de bezetter een groot aantal vooraanstaande Nederlanders had gegijzeld. In deze gesprekken waren onder anderen W. Schermerhorn (de eerste voorzitter van de NVB) en de sociaal-democratische dominee W. Banning de voortrekkers geweest. Aangezien Schermerhorn minister-president was geworden en er nog een aantal NVB-sympathisanten in zijn kabinet zat, leek de NVB in 1945 in een unieke positie om de gewenste vernieuwing gestalte te geven.

De NVB zelf wilde geen politieke partij worden. Zij wilde de verzuiling doorbreken (vandaar de Doorbraakgedachte) door de bestaande partijen aan te zetten tot de vorming van een nationale, vooruitstrevende volkspartij, gebaseerd op een rijkelijk vage combinatie van christelijke en sociaal-democratische beginselen. Het ideaal van een hechte nationale gemeenschap speelde daarbij een belangrijke rol. Die nationale gemeenschap moest gebouwd worden op strenge ethische normen. Er heerste in deze jaren onder de Nederlandse politieke en culturele elite een licht hysterische vrees voor verloedering en zedenverwildering, vandaar dat de bevolking voortdurend gemaand werd een zedelijk geheel en al verantwoord burgermansbestaan te leiden.

De NVB was van mening dat het overheidsgezag flink versterkt moest worden, omdat de overheid het krachtig sturende en ordenende zenuwcentrum van de vernieuwing zou moeten zijn. De nieuwe, sterke overheid zou zich niet alleen met haar traditionele politieke en economische taken bezig moeten houden. Zij zou ook het culturele en zedelijke leven moeten gaan ordenen en sturen. Van der Leeuw, de minister van onderwijs, ook een NVB-sympathisant, vond dat het openbaar onderwijs voortaan christelijk-nationaal geïnspireerd moest zijn.

Het kabinet-Schermerhorn riep een Regeringsvoorlichtings-dienst in het leven, die niet altijd onderscheid wist te maken tussen voorlichting en propaganda, en een lichtelijk omineus genaamde organisatie, de dienst Oog en Oor, die de stemming onder de bevolking steeds moest peilen en sturen. Schermerhorn maakte ook een begin met een niet-verzuilde omroeporganisatie: Radio Herrijzend Nederland.

Herstel

In september 1945 hield de NVB een eerste triomfantelijk congres. Een paar maanden later bleek plotseling dat het voor de vernieuwing zo gunstig lijkende tij al weer verlopen was, zo het ooit al werkelijk gunstig was geweest. De bestaande politieke partijen, de oude zondaars van de verzuiling, liepen niet erg warm voor de vernieuwing. De CPN was al bij voorbaat van de vernieuwing uitgesloten, omdat zij algemeen geacht werd niet met de nationale gedachte te sympathiseren. De leider van de AR, Jan Schouten, verklaarde bij terugkomst uit een Duits concentratiekamp dat hij niet veranderd was en impliceerde daarmee dat er wat hem betreft in zijn partij en in Nederland ook niets hoefde te veranderen. De overgrote meerderheid van de leden van de vormeloze CHU leek het ook maar beter alles bij het oude te laten.

De beoogde politieke doorbraak was zodoende dus afhankelijk van de mate waarin de vernieuwingsgezinde katholieken en de vernieuwingsgezinde sociaal-democraten het met elkaar eens konden worden. De voortekenen voor zo'n gelijkgezindheid waren niet gunstig. De bisschoppen hadden al in de herfst van 1944 in het bevrijde zuiden besloten dat de RKSP maar weer beter terug kon keren, al moest zij zeker in een nieuw verbaal jasje gehuld worden.

Er waren wel katholieke vernieuwers, in het bijzonder de in 1945 alomtegenwoordige Jan de Quay, maar die werden door de sociaal-democraten gewantrouwd omdat zij een vooraanstaande rol hadden gespeeld in de Nederlandse Unie, een volkseenheidsbeweging die zich in de eerste oorlogsjaren net iets te enthousiast had getoond in haar bereidheid met de bezetter samen te werken. Toen De Quay om deze reden geweerd werd uit het kabinet-Schermerhorn en vervolgens in september 1945 toetrad tot het bestuur van de RKSP, waren de kansen op een werkelijk omvangrijke doorbraak in feite al verkeken.

De pragmatici in de SDAP, Drees voorop, voelden wel voor een doorbraak, maar hadden daarbij toch vooral een verbreding van de electorale aantrekkingskracht van hun eigen partij op het oog. Zij waren zeker niet bereid om het hele sociaal-democratische erfgoed op het altaar van de vernieuwing te offeren.

Zo bleef er niet veel over om door te breken. De sociaal-democraten kwamen uiteindelijk tot overeenstemming met de

Vrijzinnig Democratische Bond en de Christelijk Democratische Unie, een vooroorlogse confessioneel-progressieve splinter. Dit akkoord leverde in februari 1946 de Partij van de Arbeid op, niet veel meer dan een politiek gestroomlijnde SDAP. De hele folkloristische outillage van de SDAP, de liederen, de rode vlaggen en de 1 mei-optochten, werd ondanks het gemurmureer van de Vrijzinnig Democraten door de PvdA overgenomen.

Eind 1945 werd de RKSP omgetoverd in de Katholieke Volkspartij. De oude zuilen stonden weer overeind. Het wachten was nu op de verkiezingen van mei 1946. Als de PvdA daarbij een spectaculaire overwinning zou behalen, zou al het doorbraak-gewoel, ondanks het herstel van de zuilen, toch effect gehad hebben. De uitslag van de verkiezingen toonde aan dat de Nederlandse kiezers niet onder de indruk waren van de vernieuwing. De PvdA haalde 28,3 procent van de stemmen, minder dan SDAP, VDB en CDU gezamenlijk voor de oorlog hadden gehaald. De KVP werd met 30,8 procent de grootste partij. AR en CHU wisten zich redelijk te handhaven en de CPN kreeg, tot schrik van de gezagdragers, 10,6 procent van de stemmen.

Het herstel van het verzuilde bestel was een feit. Dat het Herstelde Bestel, voortgestuwd door het verlies van Indië, de Koude Oorlog en de welvaartsgroei, het gezapige Nederland binnen zou voeren in een nieuwe wereld, waarin voor dat bestel uiteindelijk geen plaats meer zou zijn, was in 1946 nog niet duidelijk.

Waarom is de vernieuwing mislukt? Vooral omdat de vernieuwers niet meer waren dan een zelfbenoemde politieke en culturele elite, die geen flauw benul had van de sentimenten van de modale staatsburger. De vernieuwers konden niet beschikken over een solide organisatorische basis, zoals de oude partijen, en het ontbrak hun aan politieke ervaring. De uitgedragen idealen waren te vaag om een duidelijk, en in de politiek van alledag bruikbaar kader te verschaffen. Wie weet deed de vernieuwing de kiezers wel te veel denken aan de Nieuwe Orde van de Duitsers, waarover in de oorlog treffend werd geobserveerd: Nieuwe Orde, Lege Borden.

De vernieuwers hadden de Nederlandse bevolking ook willen beschermen tegen de ondermijnende werking van de moderne, commerciële massacultuur die uit het buitenland kwam aangewaaid. Vele Nederlandse cultuurconsumenten wilden helemaal niet beschermd worden. Zij lazen De Kijk en bezochten met ongekend animo de noodbioscopen, waar de nieuwste Engelse en Amerikaanse films werden vertoond.

Ook de Nederlandse mode wist zich niet te onttrekken aan buitenlandse invloeden. In 1947 lanceerde Dior de 'New Look'; wespetailles met weelderige rokken die tot onder de kuit vielen. Vanwege de textielschaarste konden de meeste vrouwen deze patronen niet gemakkelijk in werkelijkheid omzetten.

20

Met de sociaal-economische vernieuwing liep het al niet veel beter af. In december 1945 kwam H. Vos, de minister van economische zaken en voor de oorlog een van de initiatiefnemers van het Plan van de Arbeid, met een voorontwerp voor een wet op de publiekrechtelijke bedrijfsorganisatie (PBO). Landbouw en industrie zouden volgens dit wetsontwerp per bedrijfstak strak georganiseerd worden. De diverse bedrijfsorganisaties (bedrijf- en produktschappen) moesten onder leiding van een regeringscommissaris komen te staan en vergaande bevoegdheden krijgen ten aanzien van prijzen, investeringsniveau en arbeidsvoorwaarden. Vos creëerde in 1945 ook een Centraal Planbureau, waarvan de econometrist Tinbergen, indertijd de opsteller van het Plan van de Arbeid, directeur werd. In mei 1946 maakte het Planbureau bekend te willen streven naar doelbewuste, centrale produktieplanning.

De ambitieuze ordeningsplannen van Vos wekten veel ongerustheid. In katholieke kring had men weliswaar altijd gepleit voor publiekrechtelijke bedrijfsorganisatie, maar men had daar nooit de bedoeling gehad de overheid overheersende invloed te geven op de bedrijfsorganisatie. Zelfs onder sociaal-democraten bestond huiver voor de verstrekkende organisatiedrift van Vos. Met zijn wetsontwerp liep het daarom al spoedig slecht af.

Tijdens de kabinetsformatie die volgde op de verkiezingen van 1946 liet Drees de bevlogen ideoloog Vos vallen omdat hij liever de zuinige en populaire P. Lieftinck, die minister van financiën was, voor de PvdA in het kabinet hield. Vos werd op economische zaken opgevolgd door de conservatieve katholiek Huysmans die een commissie aan het werk zette om een nieuw wetsontwerp voor te bereiden. Het nieuwe ontwerp ging ervan uit dat de PBO in principe een vrijwillig karakter moest hebben en gaf de overheid veel minder bevoegdheden. In deze beperkte vorm werd de wet in 1950 aangenomen.

In de landbouw had de wet wel enig effect, omdat de produktschappen daar een al bestaande organisatiestructuur formaliseerden. In de industrie kwam er helemaal niets van terecht. Betrekkelijk nuttig, in een adviserende functie voor de regering, bleek de Sociaal Economische Raad (SER), het overkoepelende orgaan van de PBO. Ook met de straffe sturing van het Centraal Planbureau viel het in de praktijk erg mee. Het Planbureau adviseerde, deed voorspellingen die even vaak niet als wel uitkwamen en vertelde de overheid verder wat zij graag wilde horen.

De discussie over de PBO en het Planbureau en de uiteindelijk zeer beperkte effecten van de wetgeving op dit terrein gaven aan dat men het binnen de diverse regeringscoalities in de jaren veertig niet eens kon worden over het juiste evenwicht tussen vrijheid en regulering. Vanaf 1949 was duidelijk dat de overheid niet van plan was de sociaal-economische orde fundamenteel te wijzigen.

Bij de concrete herstelpolitiek speelde het debat over de gewenste maatschappelijke ordening geen rol van betekenis. Het sociaal-economische ordeningssysteem dat resulteerde was even gemengd als gecompliceerd en een produkt van politiek opportunisme en van compromissen tussen de belangengroepen. De sociaal-economische ontwikkeling van Nederland zou niet wezenlijk anders zijn verlopen als er nooit een PBO, een SER en een Planbureau waren geweest.

Een nationale cultuur?

Karakteristiek voor het wedervaren van de Doorbraakgedachte op cultureel gebied was de enigszins hilarische geschiedenis van het Nationaal Instituut, dat in oktober 1945 werd opgericht. De initiatiefnemers van deze merkwaardige instelling waren mensen die in het verzet tot de conclusie waren gekomen, geheel in de lijn van het volkseenheidsideaal van de jaren dertig, dat het in Nederland ontbrak aan voldoende nationaal besef. De 'massale geestelijke capitulatie' tijdens de bezettingsjaren zou volgens hen veroorzaakt zijn door het feit dat het Nederlandse volk niet dacht en zich gedroeg als één volk, maar als een samenraapsel van belangenorganisaties. Voor een passend moreel en zedelijk herstel was nationale saamhorigheid, in het besef dat er zoiets was als een vitale volkscultuur, noodzakelijk.

Ook binnen het Nationaal Instituut maakte men zich ernstige zorgen over de corrumperende en vervlakkende werking van de commerciële massacultuur uit het buitenland. Als tegenwicht daartegen wilde het Instituut de volkscultuur inventariseren, coördineren en organiseren. Als de volksdans en de volksliedjes nieuw leven kon worden ingeblazen, zou de bevolking vanzelf afstand nemen van haar ziekelijke hang naar jazzmuziek en Hollywoodfilms.

Ten behoeve van deze taak betrok het Instituut een groot pand in Amsterdam en nam het een steeds groeiend aantal stafleden aan. Geld was er voor dit particulier initiatief genoeg, omdat de vernieuwingsgezinde regering een mooie subsidie verschafte. Prins Bernhard zelf werd voorzitter van het Nationaal Instituut. De organisatie van het nationale culturele reveil viel niet mee. Het Instituut werd voor de voeten gelopen door allerlei overheidsinstanties en het Nederlandse volk had wel wat beters te doen dan gecompliceerde volksdansen instuderen.

Enkele Nederlanders waren kennelijk, wellicht geïnspireerd door het Nationaal Instituut, toch bereid een volksdans in te studeren.

Het Nationaal Instituut bemoeide zich met van alles. Het vaardigde bindende voorschriften uit voor de oprichting van oorlogsmonumenten en maakte plannen voor een passende viering van herdenkingen en nationale feestdagen. Het ging er hierbij vooral om dat de mensen tot positieve activiteiten kwamen en niet vervielen tot 'zinloos slenteren'. Een hoogtepunt van regelzucht bereikte het Instituut bij de poging in 1946 een actie voor een nationale feestrok op te zetten.

Na de bevrijding hadden vele vrouwen naar Engels voorbeeld rokken gemaakt van allerlei kleine stukjes textiel (bijvoorbeeld parachutestof) die een symbolische betekenis voor de maakster hadden. In 1946 stelde het Instituut voor dat de in dat jaar gemaakte feestrokken naar het Instituut zouden worden gestuurd waar ze zouden worden geregistreerd en van een nationaal waarmerk voorzien. De belangstelling van de feestrokken-maaksters was begrijpelijkerwijze gering.

Dat de activiteiten van het Instituut op drijfzand waren gebouwd werd duidelijk tijdens een groot congres over de Toekomst van de Nederlandse Beschaving. Daar kregen de gelovige congresgangers onenigheid met de humanisten en de katholieken met de protestanten. De Nederlandse beschaving, zo bleek daar weer eens, vindt haar essentie in het steeds aanwezige vermogen tot onenigheid.

Eind 1946 raakte het Instituut in grote financiële moeilijkheden omdat de regering niet langer tot subsidie bereid was. In 1947 werd het opgeheven. Treffend is de overeenkomst tussen dit wonderlijke Instituut en de NVB. Het Instituut sprak op dezelfde bezorgde en gedragen toon en leed aan dezelfde overschatting van de eigen mogelijkheden.

De beoogde vernieuwing bestond vooral uit oplossingen die bezorgde en zeer elitair denkende intellectuelen bedacht hadden voor oude problemen, de problemen namelijk van crisis en bezetting. In 1945 en 1946 bleek er voor de vernieuwing een veel te beperkt politiek draagvlak te zijn en werd Nederland bovendien te veel in beslag genomen door grote praktische problemen om het gehele maatschappelijke bestel te vertimmeren.

Dat de vernieuwing mislukte, wil niet zeggen dat alles bij het oude bleef. Na de verkiezingen van 1946 werd een rooms-rode coalitie geformeerd die in verschillende verschijningsvormen stand hield tot 1958 en het naoorlogse politieke klimaat bepaalde. Deze coalitie in deze vorm was waarlijk een Nieuw Bestand, ook al hadden er dan in de laatste vooroorlogse regering al twee sociaal-democratische ministers gezeten. De KVP concludeerde nu dat er zonder de PvdA onvoldoende politieke consensus zou zijn voor de nationale wederopbouw. Men was in KVP-kring ook bezorgd dat de PvdA zou radicaliseren als oppositiepartij. Voor de politieke afwikkeling van het nog te behandelen Indonesische drama was het eveneens nuttig dat de PvdA meeregeerde. Pas toen de wederopbouw ruimschoots geslaagd was en de verdeling van de nieuwe welvaart aan de orde kwam, raakte de mot in het verstandshuwelijk (want liefde is het nooit geweest) tussen rooms en rood.

In zeker opzicht is de mislukte vernieuwing misschien toch geslaagd. De cultureel-ethische preoccupaties, de nadruk op gezag en discipline en de zware toon van de vernieuwers bleven tot het begin van de jaren zestig dominant aanwezig in de Nederlandse samenleving. De politieke en culturele elite oreerde jarenlang over de cultuurcrisis en de dreigende verloedering. De bevolking moest steeds strak aan de teugel gehouden worden om alle denkbare uitwassen te voorkomen. De staatsburgers moesten af en toe komen stemmen, maar moesten verder hun mond houden, hard werken en zich vooral heel fatsoenlijk gedragen. Het is kenmerkend dat Beel, de katholieke minister-president van 1946-'48, de dienstauto's van de ministers liet voorzien van vlaggestandaarden. Op de vlaggetjes waren mooie, gezagsversterkende wapens afgebeeld.

Wederopbouw

Het kabinet-Schermerhorn hield zich niet alleen bezig met het vernieuwen van de samenleving, het nam ook herstel en wederopbouw kordaat ter hand. De verwoestingen in Nederland, het is al aan de orde geweest, waren naar verhouding groter dan in andere Westeuropese landen.

Er waren 230.000 doden te betreuren, onder wie honderdduizend joden. Vele anderen waren voor het leven verminkt of psychisch beschadigd. Het transportsysteem had zeer zware schade opgelopen. De gehele Rijnvloot en de helft van de koopvaardijvloot waren verloren gegaan. Een groot deel van het rollend materieel was naar Duitsland afgevoerd. De haveninstallaties in Amsterdam en Rotterdam waren door de Duitsers opgeblazen. Wat er nog over was aan treinen, auto's en vrachtauto's kon niet of nauwelijks gebruikt worden, omdat er zo veel bruggen kapot waren. Nog tot vrij lang na de oorlog werd er op allerlei plaatsen gebruik gemaakt van de rammelende militaire noodbruggen die de geallieerde troepen hadden aangelegd.

Ruim twintig procent van de woningen was beschadigd of verwoest. Uit duizenden fabrieken waren de machines gestolen. De outillage van de olieraffinaderij in Pernis was in zijn geheel geroofd. De kolenproduktie bedroeg in 1945 een kwart van die van voor de oorlog, de gasproduktie achtien procent, de elektriciteitsproduktie zestien procent. Elektriciteit was er maar enkele uren per dag. De arbeidsproduktiviteit was ten opzichte van 1938 met zestig procent verminderd. 375.000 hectares cultuurgrond waren onder water gezet en daardoor zwaar beschadigd. Het aantal koeien was met 27 procent verminderd, het pluimvee met 92 procent, het aantal varkens met 72 procent. Al met al was 27 procent van het vooroorlogse nationale vermogen verloren gegaan. Alleen in de metaalindustrie, de scheepsbouw en de elektrotechnische industrie was de produktiecapaciteit tijdens de oorlog toegenomen.

Door de zware schade die het transportsysteem had opgelopen, was reizen vrijwel onmogelijk. Tot augustus 1945 was er een algemeen reisverbod, daarna was beperkt spoorwegvervoer mogelijk. Van enig comfort was geen sprake. De diverse delen van het land waren van elkaar geïsoleerd en de steden lagen als eilanden in het omringende platteland. Telefoneren ging slechts met de grootste moeite. Een krant uit het westen van het land kon elders bij wijze van spreken bij opbod verkocht worden. Aan alles, maar in het bijzonder aan voedsel en brandstof, was in deze chaos gebrek, vandaar dat alle eerste levensbehoeften door de overheid gesubsidieerd en gerantsoeneerd werden.

Zeker, men was in Nederland in de tweede helft van de jaren veertig bang voor een derde wereldoorlog, voor een terugkeer van de werkloosheid en men wond zich kortstondig op over de gebeurtenissen in Indonesië, maar men maakte zich toch vooral zorgen over het gebrek aan voldoende voedsel, textiel, kolen en woonruimte. Nog in 1947 meldde 17 procent van de onder- vraagden in een opinie-onderzoek in het afgelopen jaar te wei- nig te eten te hebben gehad. In de strenge winter van 1946-'47 had dertig procent van de bevolking geen kolen in huis en was zestig procent bang niet voldoende kolen te hebben om de win- ter door te komen. Eind 1948 zei een derde van de bevolking niet over voldoende winterkleding te beschikken. De onvermij- delijke distributie wekte ieders ergernis.

Het dagelijks leven was zo moeizaam dat tussen 1945 en 1950 steeds twintig procent van de bevolking te kennen gaf liever te willen emigreren. Soberheid en zuinigheid waren in deze jaren

Een van de grootste naoorlogse problemen was de woningnood. Sommigen huisden in bun- kers en gebruikten gra- naathulzen als tuinhekje.

Het jaarlijks aantal nieuwe woningen steeg tussen 1945 en 1950 van nog geen vierhonderd naar bijna 50.000.

centrale waarden, die ook door de overheid met kracht gepropageerd werden. Het ideaal was 'voor de oorlog': toen was alles beter, dikker, vetter en solider. Desondanks beweerde tachtig procent van de bevolking gelukkig of tamelijk gelukkig te zijn. Wellicht moeten we aan dit laatste cijfer maar niet te veel aandacht besteden, omdat het in alle, ook latere, opinie-onderzoeken constant is.

28

De overheid was in de eerste naoorlogse jaren zeer nadrukkelijk aanwezig in het maatschappelijk verkeer. Zij subsidieerde en distribueerde en controleerde lonen, prijzen, investeringen, kredietverlening en de import en export. De Nederlandse bevolking at zowel letterlijk als figuurlijk regeringsbrood, een grauwe, maar voedzame variant van het wittebrood.

Een onmiddellijk noodzakelijke maatregel was de geldzuivering, die ter hand werd genomen door minister van financiën Lieftinck, een strenge en zuinige bewindsman, een echte naoorlogse bewindsman dus, die zelfs het kleinste detail van zijn beleid persoonlijk scherp in de gaten hield. De geldhoeveelheid was tijdens de oorlog gegroeid van 2,5 miljard naar tien miljard gulden. In combinatie met de schaarste aan goederen kon die sterk gezwollen geldhoeveelheid een rampzalige inflatie veroorzaken.

Begin juli werden alle biljetten van honderd gulden ongeldig verklaard. Ze moesten ingeleverd worden en werden dan ondergebracht in geblokkeerde tegoeden. Eind september werden alle rekeningen en tegoeden geblokkeerd. Iedereen kon vervolgens tien gulden oud geld omwisselen in een nieuw tientje, om de meest noodzakelijke uitgaven te dekken. Dit zogenaamde 'tientje van Lieftinck' maakte gedurende een enkel utopisch moment alle Nederlanders even rijk. Vervolgens werd geleidelijk een begin gemaakt met de noodzakelijke deblokkering van de rekeningen, in verband met de uitbetaling van lonen en salarissen.

Door de blokkering van alle tegoeden en de gelijktijdige opheffing van het bankgeheim verschafte de overheid zich een unieke gelegenheid inzicht te krijgen in de financiële positie van elke Nederlander. Zij gebruikte deze gelegenheid om achterstallige inkomstenbelasting in te vorderen en kwam bovendien met een vermogensaanwasbelasting, die in het geval van oorlogswinsten op kon lopen tot negentig procent, en in juli 1946 met een vermogensheffing van twintig procent. De revenuen van deze heffingen werden onder andere gebruikt om de oorlogsschade te vergoeden. Al deze operaties leidden tot een halvering van de geldvoorraad en een forse inkomensnivellering. De bezitters van

De maatregel van Lieftinck viel het Nederlandse volk zwaar. Maar Lieftinck zelf zag dit anders: 'In het algemeen heeft het Nederlandse volk deze geldzuivering sportief aanvaard. En ik geloof dat een van de redenen hiervoor, misschien wel de hoofdreden, is geweest dat iedereen gelijk behandeld werd, iedereen die eerste week van tien gulden moest leven en iedereen verder alleen kon leven van wat hij de rest van die week of maand verdiend had.' Lieftinck heeft zich met zijn tientje onsterfelijk gemaakt. De geldzuiveringswet is de geschiedenis ingegaan als het symbool voor een ingrijpende sanering van geldwezen en belastingen, maar Lieftinck zelf verzuchtte nog tot op vrij hoge leeftijd: 'dat verduvelde tientje'.

waardepapieren zagen hun vermogen tussen 1939 en 1946 gehalveerd.

De sanering van de geldhuishouding ging gepaard met een strak loon- en prijsbeleid. Het loonbeleid werd uitgevoerd door de Stichting van de Arbeid. In deze stichting, die al in de oorlogsjaren was voorbereid, werkten werkgevers- en werknemersorgani-

Lieftinck als spaarpot: het perfecte symbool voor het spaarzame en zuinige Nederland van de wederopbouwjaren.

"Minister Lieftinck ik zal sparen
Alles in Uw hoofd bewaren
Maar wordt mijn leven tot een hel
Door Uw angstwekkend dwangbeeel
Hoedt U dan voor Uw vreselijk lot
Want dan ... sla ik Uw hoofd kapot"

saties nauw samen. Tot in de jaren zestig slaagde de overheid erin via de Stichting van de Arbeid het loonniveau laag te houden, wat de Nederlandse concurrentiepositie versterkte.

In 1945 was er al direct sprake van een fors herstel van de industriële produktie. In het najaar bedroeg die 38 procent van het vooroorlogse niveau. In de volgende jaren hield het herstel aan, alleen de strenge winter van 1946 –'47 leidde tot een tijdelijke terugval. Het onverwacht vlotte herstel veroorzaakte een zodanige toename van de vraag naar grondstoffen en machines dat de betalingsbalans vanaf het begin van 1946 snel toenemende tekorten liet zien. In 1946 werd slechts 37 procent van de import gedekt door de export. Deze onevenwichtigheid betekende vooral een groot en groeiend dollartekort, aangezien voedsel en machines in de eerste naoorlogse jaren vrijwel alleen uit het dollargebied betrokken konden worden. Terzelfder tijd had Nederland te maken met de enorme kosten van de opbouw van een militair apparaat in Indonesië.

Het dollartekort was zo nijpend dat het al in 1947 een remmende werking had op het herstel. Vandaar dat de Marshall-hulp voor Nederland werkelijk een geschenk uit de hemel was. Ongerust over de financieel-economische noodsituatie in West-Europa, die het politieke radicalisme wellicht in de hand kon werken, kwamen de Amerikanen in juni 1947, bij monde van minister van buitenlandse zaken George Marshall, met een omvangrijk financieel-economisch hulpprogramma voor de Westeuropese naties. In het najaar van 1947 voteerde het Congres de eerste noodkredieten. In totaal ontving Nederland bijna een miljard dollar, dus ruim 3,5 miljard gulden. De Amerikaanse hulp bedroeg in 1948 vijf procent van het Nederlandse nationaal inkomen, in 1949 zelfs 8,4 procent en in 1950 6,9 procent. Het herstel van de industriële produktie zou zich waarschijnlijk ook wel zonder de hulp hebben voltrokken, maar misschien langzamer en zeker bij een beduidend lager consumptieniveau.

Door de Marshall-hulp, de vermindering van de kosten van de

Mr.D. Stikker, destijds minister van Buitenlandse Zaken, over de Marshall-hulp: 'Eerste hulp was onmiddellijk nodig voor levensmiddelen, voor kolen, voor suiker en melk. En als Nederland zijn aandeel niet gekregen had, dan zouden wij onze invoer hebben moeten beperken, zouden we geen verwarming meer gehad hebben en zouden we grote moeilijkheden met het in stand houden van de industrie gehad hebben, omdat er geen kolen waren.'

operaties in Indonesië en het aflopen van de oorlogsschade-betalingen kwam er na 1948 wat meer financiële ruimte. De gunstige ontwikkeling van de betalingsbalans werd verder versterkt door de vanaf 1949 snel toenemende handel met Duitsland en door de devaluatie van de gulden met dertig procent in 1949. De economie functioneerde in 1949 al weer zo bevredigend dat de distributie in dat jaar grotendeels afgeschaft kon worden. De industriële produktie bevond zich in 1947 al weer op vooroorlogs niveau; in 1950 lag zij zelfs veertig procent daarboven. Het nationaal inkomen was in 1950 ruimschoots groter dan dat van 1938. Vooral in de metaalindustrie, de olieraffinage en de openbare nutsbedrijven deed zich een ongekende expansie voor.

Door de snelle groei en de scherpe stijging van de grondstoffenprijzen door de Koreaanse oorlog was er in 1950 weer een groot tekort op de betalingsbalans. Dat was voor de regering aanleiding voor een wel zeer fors uitgevallen bestedingsbeperking. De betalingsbalans herstelde zich snel en in de jaren vijftig zette de groei zich in een onverwacht hoog tempo voort.

In 1952 ging de koffie als laatste consumptie-artikel van de bon. De naoorlogse schaarste was daarmee definitief voorbij. Tevens was er een begin gemaakt met de spectaculaire uitbouw van de sociale voorzieningen, die de hele naoorlogse periode zou karakteriseren, in de vorm van een algemene oudedagsvoorziening (noodwet-Drees, 1947). Hoe gunstig deze ontwikkelingen ook waren, we moeten beseffen dat het consumptieniveau van de modale Nederlander aan het begin van de jaren vijftig de facto niet hoger was dan aan het begin van de jaren dertig. Het dagelijks bestaan was voor de overgrote meerderheid van de Nederlandse bevolking nog steeds een schrale aangelegenheid. Dat veranderde pas in de loop van de jaren vijftig en zestig.

Zuivering

Een vernieuwd en bevrijd Nederland moest vanzelfsprekend radicaal gezuiverd worden van al diegenen die met de bezetter hadden samengewerkt: die fout waren geweest. Ten behoeve

QC 903	13 Febr. 1949 - 14 Jan. 1950 voor vrouwen geboren in 1931 of vroeger
T RESERVE TABAK	TABAK S RESERVE
132 TABAK	129 TABAK
126 TABAK	123 TABAK
120 TABAK	117 TABAK
114 TABAK	111 TABAK
108 TABAK	105 TABAK

van de zuivering en berechting van de collaborateurs, en van de Duitse oorlogsmisdadigers, riep de regering een enorm apparaat voor de bijzondere rechtspleging in het leven, dat al tijdens de oorlog in Londen voorbereid was. Bij deze bijzondere rechtspraak deden zich grote problemen voor omdat er geen precedent en dus ook geen jurisprudentie was.

In de periode onmiddellijk na de bevrijding was de bevolking nog vervuld van wraakgevoelens en was er een brede consensus dat geen enkele zondaar, groot of klein, aan zijn terechte straf mocht ontkomen. Deze emoties leidden er toe dat er in 1945 ruim honderdduizend collaborateurs werden opgepakt en ingesloten in een honderdtal kampen. Een enkeling had tijdens de oorlog al gewaarschuwd dat een dergelijke ruime aanpak onoverkomelijke moeilijkheden zou veroorzaken en dat het veel

Ook de rookwaren waren langdurig op de bon.

verstandiger was alleen de ernstigste gevallen aan te pakken. Zo'n beperkte aanpak was, achteraf gezien, zeker verstandiger geweest. Het apparaat voor de bijzondere rechtspleging kon het werk niet aan en in de kampen deden zich schrijnende misstanden voor. Rechtsonzekerheid en rechteloosheid waren het lot van velen die door de zuiveringsmachine werden opgeslokt. Daarbij kwam dat de nationale consensus over zuivering en bijzondere rechtspleging vrij snel afbrokkelde.

Geconfronteerd met de praktische problemen van herstel en wederopbouw werd de oorlog al gauw van concrete, voelbare werkelijkheid tot licht verdrongen herinnering. Steeds meer mensen begonnen te twijfelen aan het nut van de berechting van tienduizenden kleine, bange meelopers en opportunisten. Vanaf 1948 werd aan de bijzondere rechtspleging geleidelijk een einde gemaakt. In totaal werden 66.000 mensen veroordeeld. Daarbij waren 164 doodvonnissen, waarvan echter slechts een klein deel, namelijk 39, is voltrokken. De gratiëring van enkele terdoodveroordeelde Duitsers, die leiding hadden gegeven aan het Duitse terreurapparaat of direct betrokken waren geweest bij het transport van de joodse Nederlanders naar de concentratiekampen, wekte bevreemding en verontwaardiging. De regering kon in deze situatie om constitutionele redenen niet duidelijk maken dat het het staatshoofd zelf was, koningin Juliana, dat principiële bezwaren had tegen afwijzing van de gratieverzoeken van terdoodveroordeelden. Zo bleef Nederland zitten met Lages, Kotälla, Aus der Fünten en Fischer, die in de daaropvolgende decennia nog heel wat politieke en emotionele problemen hebben veroorzaakt.

De Indonesische kwestie

Op 17 augustus 1945 riepen Sukarno en Hatta, daartoe aangezet door radicaal-nationalistische jongeren, de republiek Indonesië uit. Nederland kon daar op dat moment helemaal niets aan doen, omdat het ter plekke niet over machtsinstrumenten beschikte. Zelfs de Engelsen hadden zo weinig troepen in Zuidoost-Azië dat ze het bestuur van Nederlands-Indië nog enige tijd aan de verslagen Japanners moesten overlaten. Eind 1945 hadden de geallieerde troepen niet meer in handen dan delen van de grote steden op Java en Sumatra.

De Engelsen beperkten zich tot de bescherming van de door de Japanners geïnterneerde Europeanen en de afvoer van de Japanse troepen. Zij drongen er bij de Nederlanders op aan met de Indonesische republiek in onderhandeling te treden. Dat deden de Nederlanders wel vanaf eind oktober 1945, maar dat wilde niet zeggen dat zij bereid waren de republiek te accepteren. De Nederlandse autoriteiten zagen de republikeinen als opstandelingen die tot de orde moesten worden geroepen. De leiders van de republiek waren dubbel verdacht omdat zij met de Japanse vijand hadden samengewerkt. Vanuit het perspectief

De laatste Nederlandse soldaten vertrokken eind oktober 1946 naar Indië.

35

van het juist van de Duitsers bevrijde Nederland waren Sukarno en zijn medewerkers perfide collaborateurs, met wie geen enkel zinnig contact mogelijk was.

De Nederlandse soevereiniteit in Indië moest zo spoedig mogelijk hersteld worden, dat zou voor alle betrokken partijen een zegen zijn. Dat de wereld veranderd was, dat het nationalisme in Azië krachten had gewekt die de Europese koloniale mogendheden niet zouden weten te beteugelen, daarvan hadden de wat provinciale politici in Den Haag geen benul. Doordat zij daar door schade en schande achter moesten komen, liepen zij steeds op hopeloos frustrerende wijze achter de daadwerkelijke loop der dingen aan. De realiteit werd steeds meer de Indonesische republiek en niet het Nederlandse koloniale gezag.

Teneinde dat gezag te herstellen zond de Nederlandse regering in grote haast een flinke troepenmacht naar Indië. Eind 1946 waren er negentigduizend Nederlandse soldaten in de archipel. Die wisten het Nederlands gezag inderdaad te herstellen, maar niet op Java en Sumatra, daar bleven de republikeinen de baas. In februari 1946 verklaarde de Nederlandse regering zich bereid het zelfbeschikkingsrecht van Indonesië te erkennen na een overgangsperiode van zo'n 25 jaar. In die wel zeer fors bemeten overgangsperiode zouden de Nederlanders dan de voorwaarden creëren voor een zelfstandig en federaal georganiseerd Indonesië.

De onderhandelingen met de republiek, nog steeds de realiteit op Java en Sumatra, gingen ondertussen door, maar leverden vanwege de nadering van de Nederlandse verkiezingen niets op. Pas in november 1946 bereikte Nederland een akkoord met de republikeinen, het zogenaamde akkoord van Linggadjati. Daarin was voorzien in een soevereine, democratische staat Indonesië op federale grondslag, die met Nederland verbonden zou zijn in een politieke unie. Het akkoord van Linggadjati werd in maart 1947 geratificeerd, waarbij beide partijen zich expliciet het recht op hun eigen interpretatie voorbehielden. Daaropvolgende besprekingen over militaire samenwerking en regeling van de concrete situatie in Indië liepen vast.

Van augustus tot november 1949 werd tussen Nederlanders en Indonesiërs een Ronde-Tafelconferentie gehouden. De politieke tekenaar L.J. Jordaan liet in Vrij Nederland *van 6 augustus 1949 minister-president Drees met Van Maarseveen, de minister van overzeese gebiedsdelen, en de diplomaat J.H. van Royen de zaal in orde maken.*

Voor het Nederlands gezag in Indië begon de situatie nu vrij penibel te worden. Omdat de republiek de belangrijkste produktiegebieden in handen had, konden de ondernemers niet op hun ondernemingen aan de slag. Daardoor werd de financieel-economische situatie steeds moeilijker. Om deze impasse te doorbreken en de republiek een lesje te leren begonnen de Nederlanders op 20 juli 1947 met een grote militaire operatie: de eerste politionele actie. Het werd een politionele actie genoemd omdat Nederland vooral niet de indruk wilde wekken slag te leveren met een andere staat; het ging om herstel van het rechtmatige Nederlandse gezag. De operatie was een groot militair succes, maar deed de Nederlandse zaak in de internationale arena geen goed.

Op aandringen van de Verenigde Naties ging Nederland opnieuw onderhandelen met de republiek. Dat leverde een overeenkomst op, waarin de partijen tot een bestand kwamen en afspraken verder te zullen praten op basis van het Linggadjati-akkoord. De gesprekken leidden echter niet tot resultaat. Militaire samenwerking bleek opnieuw onmogelijk. In Nederland trad in 1948 een nieuw kabinet aan dat na enige personele wisselingen in de koloniale sector tot een harder beleid besloot. Als de republiek dan niet horen wilde dan moest zij maar voelen. Op 19 december 1948 begon de tweede politionele actie. Het gebied van de republiek werd overrompeld en de republikeinse leiders gevangen genomen.

De Nederlandse militaire macht triomfeerde op vrijwel alle fronten. Jammer genoeg echter niet op dat ene front waar het werkelijk op aankwam: het internationale front. De Verenigde Naties verordonneerden Nederland per resolutie om het republikeinse grondgebied te ontruimen en de republikeinse leiders in vrijheid te stellen. Nederland moest ten slotte wijken voor de internationale pressie, omdat de regering bang was dat de Verenigde Staten de Marshall-hulp stop zouden zetten als Nederland zich niet voegde naar de wensen van de Verenigde Naties. De Nederlandse zaak was nu hopeloos. Het gebied van de republiek werd ontruimd en de republikeinse leiders vrijgelaten.

De Nederlandse nederlaag werd in de loop van 1949 tijdens een Ronde-Tafelconferentie in Den Haag op diplomatieke wijze in het vat gegoten. Er kwam een federatieve Indonesische staat, waarvan de republiek ogenschijnlijk slechts een onderdeel was. Deze fraaie constructie werd met Nederland verbonden in een politieke unie, die echter niet veel voorstelde. De soevereiniteitsoverdracht was op 27 december 1949. In augustus 1950 maakten de republikeinen een einde aan het federatieve Indonesië door de creatie van de eenheidsstaat Indonesië. In Nederland was altijd gezegd: 'Indië verloren, rampspoed geboren'. Dat bleek niet het geval te zijn. De eens zo trotse koloniale macht werd een kleine Europese natie, maar aan het welvaren van haar burgers viel dat niet te merken.

Nederland en het buitenland

Na de bevrijding was duidelijk dat Nederland niet terug zou kunnen keren tot zijn traditionele neutraliteitspolitiek. Die was in de ochtend van 10 mei 1940, om vijf minuten voor vier, definitief ter ziele gegaan. Wat nu het beste alternatief voor de neutraliteitspolitiek zou zijn, was in 1945 niet onmiddellijk evident. Nederland werd ook zodanig in beslag genomen door het herstel, de wederopbouw en de Indonesische kwestie dat niemand eens de tijd nam om systematisch na te denken over de nieuwe machtsverhoudingen en de mogelijke Nederlandse plaats daarin. In 1942 had minister van buitenlandse zaken Van Kleffens al geconcludeerd dat Nederland het meest gediend zou zijn met een permanente Amerikaanse veiligheidsgarantie. Van Kleffens had dat scherp gezien, al was hij dan bezorgd over nieuwe Duitse ambities en niet over de Sovjetunie, maar in 1945 was er nog geen sprake van zo'n blijvende garantie. De Amerikanen vertrouwden voorlopig nog op de collectieve veiligheid, waarvoor de Verenigde Naties zouden moeten zorgen.

Grote zorgen maakte de Nederlandse regering zich in de eerste jaren na de oorlog over de protectionistische politiek die de bezettende Grote Mogendheden in Duitsland voerden. Die politiek had tot gevolg dat Nederland afgesneden was van zijn economische achterland. Wezenlijke verbetering kwam er in die situatie pas in 1949, toen de buitenlandse handel van het in statu nascendi verkerende West-Duitsland geliberaliseerd werd. Er is na de oorlog vrij wat ophef gemaakt over de politieke en economische samenwerking waartoe Nederland, België en Luxemburg al in 1944 besloten hadden: de Benelux. Vooral de Amerikanen waren onder de indruk van dit initiatief en stelden het gaarne ten voorbeeld aan de andere Westeuropese naties. In werkelijkheid heeft deze Benelux nooit veel om het lijf gehad, de samenwerking was beperkt en moeizaam omdat de economische ontwikkeling en het economische beleid in Nederland vrij sterk afweken van ontwikkeling en beleid in België.

In 1947 toonden de Amerikanen (Truman-doctrine, Marshallplan), bevreesd voor de sterke positie van de Sovjetunie in Europa, zich steeds meer betrokken bij de veiligheid van West-Europa. Veiligheidspolitieke blokvorming in West-Europa was nu het meest realistische perspectief geworden. Zodra de Engelse minister van buitenlandse zaken voorstelde de krachten van Engeland, Frankrijk en de Benelux te bundelen, ging Nederland zonder aarzelen op dat voorstel in. Kort na de communistische coup in Praag kwam zo op 17 maart 1948 het Pakt van Brussel tot stand. Dat dit pakt zonder assistentie van de Verenigde Staten niet veel voorstelde, was van meet af aan duidelijk. In de zomer van 1948 begonnen de onderhandelingen die in april 1949 zouden leiden tot de oprichting van de Navo. Aan Nederlands liefste wens, een directe veiligheidspolitieke betrokkenheid van Engeland en de Verenigde Staten bij West-Europa, was nu voldaan. Tegen de Amerikaanse verlangens om de Bondsrepubliek in het Atlantisch bondgenootschap te integreren, die vanaf 1949 circuleerden, heeft Nederland nooit principiële bezwaren gehad. Tijdens de Koreaanse oorlog leverde Nederland een eigen militaire bijdrage aan de verdediging van het Vrije Westen door een klein contingent vrijwilligers te sturen.

II. NEDERLAND IN DE JAREN VIJFTIG

'EEN HUISELIJK EN ARBEIDZAAM VOLK'?

Economische modernisering

Economisch gezien was er in de jaren vijftig sprake van een voortzetting van de herstel- en structuurpolitiek. In deze periode vond dit plaats onder condities van economische groei, stijgende export en groeiende welvaart. De groei van het bruto nationaal produkt bedroeg zo'n vijf procent per jaar. De stijging van het nationaal inkomen per hoofd van de bevolking lag rond de twee procent per jaar, terwijl de consumptieve uitgaven met circa 1,5 procent per jaar omhoog gingen. Met andere woorden, er werd dus zowel door individuele Nederlanders als met name door middel van collectieve inhoudingen gespaard. Van de economische groei werd immers slechts een kleine helft omgezet in hogere lonen. Het grootste deel ervan werd gebruikt voor herinvestering in industrie en infrastructuur.

Er was sprake van een welbewuste industrialisatiepolitiek, gericht op versterking van de industriële basis (met name in de chemie en de metaal), op exportbevordering, op vergroting van de doelmatigheid in de landbouw, op het scheppen van (volledige) werkgelegenheid en op het bieden van sociale zekerheid. Als voorwaarde voor dat alles werd een rigoureuze lage lonenpolitiek gezien. Oud-Hollandse zegswijzen als 'de cost gaat voor den baet uit' en aanmaningen de broekriem aan te halen en de schouders eronder te blijven zetten, waren niet van de lucht.

De industrialisatiepolitiek werd neergelegd in de zogenaamde industrialisatienota's van de opeenvolgende kabinetten. De eerste drie nota's waren van de hand van J.R.M. van den Brink, minister van economische zaken voor de KVP in het eerste kabinet-Drees. Ze verschenen in 1949, 1950 en 1951. Deze nota's gaven een prognose van te verwachten ontwikkelingen, bevatten cijferopstellingen over gewenst beleid in verschillende economische sectoren en gaven inzicht in de behaalde resultaten. Men wilde geen rigide centrale economische planning, maar ging evenmin uit van het onbelemmerde vrije-marktmechanisme. Indirecte sturing, door middel van ondersteuning van gewenst en afremming van ongewenst ondernemersinitiatief, was het

instrumentarium waarvoor men koos.

De reeks van industrialisatienota's werd voortgezet in de kabinetten-Drees, onder anderen door Zijlstra. In de derde (1953), vierde (1955) en vijfde (1958) industrialisatienota konden de veranderingen in de Nederlandse economie afgelezen worden. Was van de Nederlandse beroepsbevolking in 1947 nog 19,3 procent werkzaam in de landbouw, in 1960 was dat aandeel gezakt naar 10,7 procent. De nijverheid (lees: industrie) gaf in 1947 werk aan 35,9 procent van de beroepsbevolking en in 1960 aan 41,2 procent. Het aandeel van de sector diensten en overheid (ambtenaren, onderwijzers en dergelijke) steeg in dezelfde periode van 43,4 procent naar 45,8 procent.

Vooral twee zaken wezen op een zich moderniserende economie. Ten eerste werd Nederland minder agrarisch en meer

Voor een kleine driehonderdvijftigduizend Nederlanders ging de wederopbouw in Nederland te langzaam. Gedreven door de enorme woningnood en de dreiging van de Koude Oorlog, besloten zij hun geluk elders te zoeken. De meesten vestigden zich in Australië, Nieuw-Zeeland, de Verenigde Staten en Canada.

industrieel, met daarnaast een beginnende groei van de in ons land vanouds goed ontwikkelde dienstensector. Ten tweede trad in vrijwel alle sectoren van de Nederlandse economie, de land- en tuinbouw inbegrepen, een stijging van de arbeidsproduktiviteit op, die die van de lonen en gezinsconsumptie verre overtrof. Minder mensen maakten in minder tijd meer produkten dan vroeger. Dit was het gevolg van investeringen in mechanisering van de produktie en in de infrastructuur (wegen, kanalen, spoorwegen, elektriciteitsnet, etcetera).

Politiek draagvlak voor de economische vernieuwing

De basis voor deze investeringspolitiek werd gelegd door besparingen op de loonkosten. De lonen en salarissen werden laag gehouden door een strak overheidsbeleid, de zogenaamde geleide loonpolitiek. Dat de overheid op dit terrein, anders dan bij de economische planning, wèl durfde in te grijpen en dat ook met succes kon, kwam door het grote politieke draagvlak van de kabinetten-Drees. Het waren vanaf 1952 kabinetten met een brede basis: de drie confessionele partijen (KVP, ARP en CHU) met de democratisch socialisten (PvdA). Deze brede basis, waarvan de KVP en de PvdA de kern vormden, staat ook bekend als de rooms-rode coalitie.

Behalve in de politiek had het regeringsbeleid in deze periode ook een brede maatschappelijke basis. De vakbonden, confessioneel georganiseerd, werkten met hun politieke geestverwanten mee. Door een depolitiserend samenspel binnen overlegorganen als de Sociaal Economische Raad en de Stichting van de Arbeid, ondersteund door sociaal-economische prognoses van het Centraal Plan Bureau, kwamen werkgevers en werknemers binnenskamers tot afspraken over de loon- en prijspolitiek. Zo werd een gunstig investeringsklimaat voor de ondernemers geschapen ten koste van het consumptieniveau van arbeiders, kantoorpersoneel, ambtenaren en middenstanders.

De vakbonden gingen hiermee akkoord en verkochten deze

DREES vraagt uw vertrouwen voor lijst 2

PARTIJ VAN DE ARBEID

Op 1 januari 1957 reikte
de minister van sociale
zaken Suurhoff de eerste
AOW-uitkering uit.

geleide loonpolitiek aan hun achterban om twee redenen. Ten eerste was men er ook in vakbondskringen van overtuigd dat investeringen werkgelegenheid schiepen en dat voor het plegen van investeringen een gunstige concurrentiepositie voor de export noodzakelijk was. Daartoe dienden de kosten voor de ondernemer laag gehouden te worden en dat betekende dus ook lage loonkosten. De angst voor een herhaling van de werkloosheid uit de jaren dertig zat er zo diep in dat de vakbonden dit voor lief namen. Het tweede kredietpunt was dat de lage lonen de opbouw en uitbreiding van een deugdelijk stelsel van sociale voorzieningen mogelijk maakten. Een mijlpaal was de AOW, voorbereid door Drees en in 1957 ingevoerd door K. Suurhoff. In naam was deze Algemene Ouderdoms Wet een verzekering, waarvoor iedere werknemer verplicht premie afdroeg. In feite was de AOW de verwezenlijking van een oude wens van de arbeidersbeweging: een staatspensioen dat iedere bejaarde een minimale bestaanszekerheid garandeerde.

Het is overigens de vraag of deze geleide loonpolitiek voor de in de jaren vijftig gerealiseerde economische groei noodzakelijk of zelfs maar belangrijk was. Er is hiervoor al op gewezen dat de groeiruimte in de wereldhandel in deze periode ongeveer vijf procent bedroeg: precies het percentage dat in Nederland verwezenlijkt werd. Gesuggereerd is wel dat dat percentage in de omstandigheden van toen min of meer 'vanzelf' haalbaar moet zijn geweest, zonder al het gedoe over aan te halen broekriemen. Het 'miracle néerlandais' zou dan niet in de eerste plaats het gevolg zijn van onze nationale spaarzin en verstandigheid. Hoogstens zou men ten faveure van de industrialisatiepolitiek kunnen zeggen dat men geen verkeerde beslissingen heeft genomen, dat men het bedrijfsleven niet in de weg heeft gelopen.

De harmonie en eensgezindheid, die op het punt van de sociaal-economische politiek heersten, moeten ook weer niet overdreven worden. Zeker waren ondernemers en de grote meerderheid van de georganiseerde arbeiders aan de in de SER bereikte resultaten gebonden. Ook is het waar dat de politieke dekking door de brede coalitie op dit punt in wezen mede door de liberalen (VVD) gegeven werd. De enige 'echte' oppositie in de vorm van de communisten (CPN in de Tweede Kamer en EVC in de havens) was klein en bovendien politiek en maatschappelijk geïsoleerd.

Niettemin stond het stelsel van de geleide loonpolitiek, ondanks de successen waar men graag op wees, voortdurend onder druk. Een symptoom van beginnende scheuren in het loongebouw was de zogenaamde welvaartsronde van 1956, waarbij de lonen reëel met zes procent omhoog gingen. Deze ronde werd afgedwongen. De effecten van het internationale loonpeil (pendelarbeid op Duitsland) werden voelbaar en de harmonisatie binnen EG-verband begon zijn schaduwen vooruit te werpen. Ook de consument (bij ons Jan Modaal, in de Bondsrepubliek iets toepasselijker Otto Normalverbraucher genoemd) wilde nu zijn aandeel in de economische groei. Symbolisch voor deze groei van economisch zelfvertrouwen, welvaart en consumptiedrang waren de ontdekking van het aardgasveld in Slochteren (1959),

De Algemene Ouderdoms Wet, het paradepaardje van de arbeidersbeweging dat op 30 mei 1956 door de Eerste Kamer werd aangenomen, stemde in elk geval de initiatiefnemer tot grote tevredenheid. 'Een grootse wet' oordeelde minister Suurhoff.

De loonmatiging die aan de achterban verkocht moest worden bleek de ledengroei van de KAB niet te hinderen, zoals dit affiche uit 1954 bewijst.

Al in de jaren zeventig moest het Brabantse bedrijf Daf van staatswege met leningen en defensieorders op de been gehouden worden. En in de jaren negentig moest dat opnieuw. Ditmaal werd de staatshulp ondersteund door een publieksactie. Onder het motto 'Honderd piek voor een fabriek' brachten 70.000 particulieren, bedrijven en instellingen 12,5 miljoen gulden aan obligaties bijeen. In een sterk afgeslankte vorm kreeg Daf Trucks, zoals het bedrijf weer ging heten, van overheid en financiers een laatste kans om te overleven.

het begin van de produktie van de Daf-personenauto (1959) en de invoering van de vrije zaterdag (1962).

Deze aandrang tot vergroting van de particuliere consumptie ten koste van door de overheid gestuurde investeringen schiep een politiek probleem in de coalitie. De PvdA wenste meer overheidsingrijpen dan de confessionele partijen. Daardoor, en door onenigheid over andere aspecten van de sociaal-economische politiek, verdween langzamerhand het harmoniemodel. De

De eerste Daf 600 verliet de lopende band in maart 1959. Ondanks export naar New York heeft de auto zich nooit een grootstedelijk imago weten te verwerven.

brede politieke basis voor het gevoerde beleid brokkelde af. In 1958 viel het laatste kabinet-Drees en de rooms-rode coalitie werd verbroken. De confessionelen gingen verder met de VVD in het kabinet-De Quay (1959–1963).

Vanaf 1959 gingen de lonen verder omhoog en in 1964 vond een ware loonexplosie plaats. Die ontwikkeling werd door de politiek en de beleidsmakers met enige vertraging geaccepteerd. Dat valt te zien aan de laatste twee industrialisatienota's. J.W. de Pous, minister van economische zaken in het nieuwe kabinet-De Quay, bracht in 1960 de zevende industrialisatienota uit, die nog het oude stramien kende. In de achtste nota, uit 1963, werd de industrialisatiepolitiek terzijde geschoven: de ontwikkeling werd nu ook officieel op haar beloop gelaten. Kennelijk geloofde men toen pas echt, dat wederopbouw en vernieuwing omgezet waren in een gestage, duurzame economische groei, die zonder gevaren gebruikt kon worden ter verhoging van het consumptieniveau.

De Daf Trucks-montagelijn nog in vol bedrijf.

Een decennium van ogenschijnlijk sociaal-culturele stabiliteit

De jaren vijftig worden vaak afgeschilderd als een decennium waarin 'geluk nog heel gewoon' was, waarin de kinderen op zaterdagavond met schoongewassen haartjes gelukkig en tevreden in de schoot van het vertrouwde kerngezin verkeerden om een spelletje te doen met hun opofferende moeder en hun net op de fiets van het werk teruggekeerde vader. De herkomst van dit beeld is duidelijk. Het stamt uit de late jaren zestig, toen een nieuwe generatie de indruk had dat sociale en culturele veranderingen zo snel gingen, dat daarbij vergeleken er in de jaren vijftig slechts sprake van stilstand was geweest.

Op het eerste gezicht lijkt ook wel wat voor die opvatting te zeggen. De politieke krachtsverhoudingen leken stabiel. Algemeen is de opvatting onder historici dat er op het vlak van de politieke verhoudingen een grote mate van continuïteit was met de jaren dertig. De Tweede Wereldoorlog zou niet zo'n grote betekenis hebben gehad: men pakte in 1945 gewoon de draad weer op waar men hem in 1940 had moeten laten vallen. Nadat de Doorbraak van de PvdA mislukt was, werd alsnog de rooms-rode coalitie van 1939 ten uitvoer gebracht. De oude confessionele partijen keerden terug en bezetten ongeveer de helft van de zetels in de Tweede Kamer. De aanhang van de sociaal-democraten schommelde rond de vijfentwintig procent van het electoraat; een grens waar ze nauwelijks overheen bleken te kunnen komen.

Maatschappelijk gesproken keerde de verzuilde organisatie-structuur terug. Niet alleen wist de verzuiling zich te handhaven, ze nam ook ten opzichte van de jaren dertig toe. Het aantal en de omvang van de verzuilde organisaties op de terreinen van de volksgezondheid, het onderwijs, het maatschappelijk werk en het culturele leven groeiden in de jaren vijftig ongekend. De sociale structuur ('rangen en standen') leek bovendien uiterst stabiel. De waardering voor bepaalde beroepsgroepen (hoogleraar, dominee, onderwijzer, politie-agent) was dezelfde als vóór de oorlog. Uit sociologisch onderzoek bleek dat de sociale mobiliteit gering was.

Dit beeld van de jaren vijftig is echter bedriegelijk. De politieke krachtsverhoudingen waren zeker stabiel. Niettemin begonnen de confessionele partijen aan een geringe, maar consequente daling. Daarvan profiteerde niet zozeer de PvdA alswel de andere geseculariseerde grote partij, de VVD, die aan een bescheiden maar ook gestage groei begon. Alleen voor wie verwacht had dat de doorbraak vanuit de PvdA snel een einde zou maken aan de confessionele partijen, was er sprake van stilstand.

Datzelfde geldt voor de beoordeling van de kracht van de verzuilde organisaties. Wie verwacht en gehoopt had dat na de oorlog de verzuiling als verouderd principe afgedaan zou hebben, kwam bedrogen uit. Maar de imposante kracht van de verzuiling was gedeeltelijk schijn. Binnen al die indrukwekkende organisaties begonnen zich in de jaren vijftig leken te roeren. Het kader van tal van organisaties in de gezondheidszorg en het onderwijs werd meer en meer gevormd door hoog opgeleide 'professionals' met een eigen zelfbewustzijn en beroepsethos, dat los stond van dat van de geestelijke leiding van veel van die organisaties. De traditionele, sterk ideologisch-godsdienstige opvattingen van veel confessionele besturen botsten meer en meer met die van hun eigen lekenkader.

Niet al die conflicten vielen de buitenwacht op. Vele bleven binnenskamers en werden met de mantel der liefde bedekt of erin gesmoord. De oppositie werd bínnen de zuilen, in de verzuilde organisaties zelf gevoerd. Nog deed men geen beroep op beroepsgenoten uit andere zuilen, nog werden de conflicten niet, zoals een decennium later, uitgevochten in de publieke opinie of in de openlijk-politieke arena. De basis voor een zuiloverschrijdend bondgenootschap werd al wel gelegd door de grote rol die de overheid ging spelen bij de financiering van het verzuilde onderwijs en de verzuilde gezondheidszorg.

Dit naderende bondgenootschap tussen inhoudelijk moderne

professionals van verschillende gezindten valt te illustreren aan de opkomst van het ministerie van maatschappelijk werk. Dit ministerie was in 1952 min of meer per vergissing opgericht. Bij de onderhandelingen over de politieke krachtsverdeling in het tweede kabinet-Drees bleek het handig om een extra ministers-post te creëren. Het op deze wijze gevormde ministerie van maatschappelijk werk, met taken die van sociale zaken afkwamen, zou een blijvertje blijken te zijn. Vanaf 1956 kwam het

52

onder leiding te staan van de geduchte 'mejuffrouw' Marga Klompé, de morele koningin van Nederland. Vol overgave stortte men zich op de sociale begeleiding van gezinnen, kinderopvoeding, reclassering en jeugdwerk. Algemene belastinggelden werden, onder dekking van de Haagse politiek, onder het beheer van verzuilde instellingen gebracht. Het leek de zoveelste overwinning in de 'restauratieve' jaren vijftig van de krachten van het sociale en ideologische behoud. Het zou een Pyrrusoverwinning blijken te zijn.

Aan de besteding van het geld werden langzamerhand richtlijnen gesteld door professionals op het ministerie, uit te voeren door professionals in de instellingen. Het veelal confessioneel niet sterk gebonden kader van leken was aan zijn lange mars door de verzuilde instellingen begonnen. Er ontstond een generatie van moderne hervormers die zichzelf als zodanig ging herkennen en die zich begon te organiseren. Bij de katholieken kan, behalve aan iemand als Klompé, gedacht worden aan figuren als Cals, Trimbos en Fortmann.

Organisatorisch nam de verzuiling dus nog toe, maar innerlijk, intellectueel en gevoelsmatig, begon ze aan kracht te verliezen. Zo'n ogenschijnlijk teken van organisatorisch zelfvertrouwen was het Bisschoppelijk Mandement van 1954. Hierin werd aan katholieken het stemmen op en het lid zijn van 'onkerkelijke

Heiligdomsvaart in Maastricht. Op het eerste gezicht had de katholieke zuil in de jaren vijftig nog niets aan kracht ingeboet.

Marga Klompé overhandigt de sleutels van een woning aan een van de Hongaarse vluchtelingen die in 1956 in Nederland onderdak toegezegd hadden gekregen.

stromingen' als liberalisme, socialisme en communisme verboden. De PvdA werd net niet verboden, maar wel sterk ontraden.
Dit was geen uiting van politiek of intellectueel zelfvertrouwen.
Het was een – overigens overdreven – paniekreactie op de
katholieke verkiezingsnederlaag van 1952.

Nogmaals: modernisering

Het zou ook vreemd geweest zijn als Nederland in politiek en
sociaal-cultureel opzicht stabiel zou zijn gebleven, terwijl het
tegelijkertijd economisch moderniseerde. De economische
modernisering bracht immers, zoals we gezien hebben, verschuivingen in de beroepsbevolking met zich mee. Een verschuiving
vooral van de landbouw naar de industrie. Dat betekende vaak
letterlijk een verschuiving van platteland naar stad. Dat proces
van verstedelijking, van urbanisatie, was voor Nederland niet
nieuw. Wel trad het nu in versneld tempo en op grote schaal op.
Die grootscheepse verhuizing werd zichtbaar in de bouw van
nieuwe woonwijken aan de buitenrand van bestaande steden.
Hierdoor werden nieuwe woon- en leefverbanden geschapen.
Bewoners uit verschillende streken, die van elkaar vaak niet
eens wisten van welk geloof ze waren, moesten nieuwe sociale
verbanden aangaan.
Deze ontwikkeling wekte bij planners en ambtelijke begeleiders
onrust op. Zou deze situatie, waarbij mensen losgerukt werden
uit hun vertrouwde omgeving en lukraak in nieuwe, ongewisse
sociale verhoudingen terechtkwamen, niet kunnen leiden tot
sociale ontworteling, tot normloosheid en zedenverwildering? De
inrichting van nieuwe woonwijken moest daarom goed gepland
worden en begeleid door sociologisch onderzoek, vond men.
Een voorbeeld van zo'n wijk waar onderzoek naar sociale saamhorigheid en naar leefomstandigheden werd verricht, was de
Rotterdamse wijk 'Hoogvliet'. Onder sociologen vond een
debat plaats over de vraag hoe men de nieuwe wijken moest
inrichten. Moesten het nieuwe dorpen worden, zodat uiteindelijk de sociale samenhang op die in de oude plaatsen van her-

komst zou gaan lijken? Of moest men de nieuwe wijken opvatten als buitenwijken van bestaande stedelijke centra, waarin een nieuw leefpatroon zou ontstaan? De laatste opvatting won het pleit, onder andere omdat de 'dorpsexperimenten' mislukten; de bewoners bleken er geen trek in te hebben. De reële problemen vielen overigens mee.

De vrees voor ontworteling en normloosheid was dus weliswaar overdreven, maar de zorgen bleven de verantwoordelijke autoriteiten kwellen. Zo werd in de IJmond, een belangrijk nieuw industriegebied (Hoogovens), in de jaren vijftig van confessionele zijde 'pastoraal-sociologisch' onderzoek gedaan naar de gevolgen van het moderne leven. Vooral was men bevreesd voor toename van de onkerkelijkheid.

Dat brengt ons op een tweede kenmerk van modernisering: secularisatie, geloofsafval of ontkerkelijking. De vrees daarvoor bleek vooralsnog eveneens overdreven. Volgens de officiële opgaven was er slechts sprake van een lichte daling, bij de katholieken in de periode 1947–'60 zelfs nog van een lichte stijging in het kerkbezoek. In het decennium daarna zette een spectaculaire daling voor praktisch alle kerkelijke gezindten in. Het was er waarschijnlijk net zo mee gesteld als met de verzuiling. Uiterlijk bleef alles voorlopig op z'n plaats, maar onder de oppervlakte heersten waarschijnlijk aanzienlijke onvrede en onverschilligheid. Een indicatie daarvoor was de groei van het ledenbestand van de Nederlandse Vereniging voor Sexuele Hervorming. De kerken fronsten daarover in het algemeen de wenkbrauwen (lidmaatschap gaf onder andere toegang tot betaalbare voorbehoedmiddelen), maar zij hadden geen controle op de groei van de NVSH van 26.000 leden in 1947 naar 140.000 in 1959.

De vraag laat zich stellen of de angsten van kerkelijk en beleidsmakend Nederland nu kortzichtig waren of van een vooruitziende blik getuigden. Het antwoord moet zijn dat in ieder geval de vorm waarin en de zaken waarover men bezorgd was op een betuttelend conservatisme uit de oude doos wijzen. Ook in kringen van politici, beleidsmakers en sociologen ontstond onvrede

Dat ontzuiling een langzaam lopend proces was, bleek uit de bekering tot het katholieke geloof van prinses Irene en haar huwelijk met Carlos Hugo de Bourbon-Parma in 1964. De politieke aspiraties van de aanstaande van de prinses strookten bovendien niet met haar aanspraken op de troon. Nadat zij daarvan afstand had gedaan, kon de verloving bekend worden gemaakt. De opvallend sterke anti-katholieke reactie van een deel van het Nederlandse publiek hadden tot gevolg dat koningin, prins en prinsessen niet bij de huwelijksinzegening in Rome aanwezig konden zijn.

met dit cultuurpessimisme, dat nieuwe levensvormen en sociale verhoudingen afwees. Enerzijds bleek de vrees voor ontworteling immers overdreven: Nederland bleef kerkelijk, gezagsgetrouw, huiselijk en arbeidzaam. Anderzijds zou, zo meende men, door voortdurende zwartkijkerij de aansluiting met de problemen van de nieuwe tijd gemist worden. Echt efficiënt sociaal beheer moest op moderne leest geschoeid worden.

Dit veranderende klimaat in beleidsbepalend Nederland kan geïllustreerd worden aan de hand van de opvattingen over de vrijetijdsbesteding van de Nederlanders. Aanvankelijk overheersten ook op dit terrein de klassieke cultuurpessimistische zorgen. In de moderne samenleving, zo luidde de analyse, zou de vrije tijd los komen te staan van het gezin en het werk. Daardoor zou de vrijetijdsbesteding normloos worden. Men zou zich gaan richten op passief, leeg vermaak. Dit werd vooral gezien als een probleem voor de ongevormde arbeidersklasse en daarbinnen vooral weer van de arbeidersjeugd. De dreigende invoering van de vrije zaterdag zou dit probleem verergeren. Getracht moest worden om de vrijetijdsbesteding te richten op actieve vormen van culturele ontplooiing.

Tegen dit gemoraliseer rees na 1955 in kringen van beleidsonderzoekers verzet. In een door hen uitgevoerd onderzoek naar vrijetijdsbesteding van het Centraal Bureau voor de Statistiek kwamen zij tot andere conclusies. Ten eerste viel het volgens hen allemaal erg mee. Onderzoek naar de besteding van avonden en van het weekend bracht de onderzoekers tot de conclusie dat de Nederlanders 'een arbeidzaam en huiselijk volk' waren. De bezorgdheid over de toename van losbandig en wild vermaak bleek uit de lucht gegrepen. De Nederlander bracht zijn vrije tijd in 'uitgesproken gemoedsrust' door. Er was geen sprake van dat op grote schaal sociale spanningen werden afgereageerd in ongeregelde uitspattingen.

Ook de klacht over het passief ondergaan van vermaak vond in het CBS-onderzoek geen steun. Er bestond in Nederland een actief verenigingsleven. Bovendien bleek de helft van de bevolking zich gemiddeld vijf uur per week over te geven aan een lief-

DICK VAN DER VELDE
KEES BRUSSE
JENNY VAN MAERLANT
RIEK SCHAGEN
JOHAN KAART
ROBERT DE VRIES
STINE LEROU
JAN TEULINGS
JOHAN VALK
PAUL STEENBERGEN
CEES LASEUR
HANS TIEMEYER
LIES FRANKEN
e.v.a.

Regie: WOLFGANG STAUDTE
Muziek: STEYE VAN BRANDENBURG
Naar de roman van PIET BAKKER

Ciske de Rat was de meest succesvolle Nederlandse film in de jaren vijftig. De onderzoekers van het CBS, dat in 1955 onderzoek verrichtte naar de vrijetijdsbesteding in Nederland, waren niet ontevreden over het niveau van de getoonde films.

hebberij. Het niveau van de genoten cultuurprodukten leek ook al niet tegen te vallen. De onderzoekers hadden zowel voor films als voor boeken een indeling in drie niveaus gemaakt: erkende topklasse, middenklasse en banale produkten. Het Nederlandse volk bleek voornamelijk films en boeken van het tweede niveau tot zich te nemen.

Niet iedereen was overigens tevreden met dat niveau van 'midcult'. Klachten over 'pseudo-cultuur' en 'kitsch' waaraan de meerderheid van het Nederlandse volk zich zou bezondigen, bleven bestaan. De meeste Nederlanders lieten zich daardoor echter kennelijk niet weerhouden van het door hen gewenste 'middle of the road'-vermaak. Datzelfde patroon was waarneembaar bij de consumptie.

Modern consumentengedrag

Groeiende welvaart en modernisering kregen, behalve in de economische structuur en politieke cultuur, ook vorm in het consumentengedrag. Eerste voorwaarde hiervoor was het beschikbaar komen van produkten, vervolgens de massaproduktie daarvan tegen aanvaardbare prijzen en ten slotte voldoende koopkracht om 'luxe'-goederen aan te schaffen. Aan die laatste voorwaarde leek in de jaren vijftig niet voldaan. De politiek van lage lonen impliceerde immers een laag bestedingsniveau buiten de eerste levensbehoeften. Niettemin kwam er, zeker na de 'welvaartsronde' van 1956, meer ruimte in het inkomen en kennelijk was men bereid zich het een en ander te ontzeggen om zogenaamde 'duurzame consumptiegoederen' aan te kunnen schaffen. Want ook in het patroon van luxe-bestedingen bleef Nederland degelijk. Het geld werd niet over de balk gesmeten, maar besteed aan nuttige en aangename apparatuur.

Zo had de bromfiets, een aangenaam vervoermiddel vergeleken met de traditionele fiets, ook de nuttige kant dat de actieradius in het woon-werkverkeer erdoor vergroot werd. Met andere woorden, de nieuwe woonwijken konden verder van de industriële en stedelijke centra af komen te liggen. Ook de planning van de inrichting van de nieuwe IJsselmeerpolders werd aan de snelheid van de bromfiets aangepast. Waren oorspronkelijk de dorpskernen en voorzieningen op fietsafstand van elkaar gepland, nu werden ze ruimtelijk uitgedund tot op bromfietsafstand. Het aantal bromfietsen groeide spectaculair van 217.000 in 1952 naar 925.000 in 1958. Minder spectaculair, maar toch ook zeer aanzienlijk, was de groei van het autopark in dezelfde periode: van 170.000 naar 420.000.

Elektrische wasmachines, stofzuigers, naaimachines en ijskasten deden langzamerhand hun intrede in de Nederlandse huishoudens. Vooral de wasmachine vormde een belangrijke verlichting voor de huisvrouw, die aan de was vroeger uren kwijt was en immer werd gekweld door rimpelhanden en een pijnlijke rug. In 1958 had zestig procent van de huishoudens de beschikking over een wasmachine, al waren die nog lang niet allemaal volautomatisch. Sommige gezinnen moesten het doen met een eenvoudig Hoovertje, anderen hadden een wasmachine met wringer, maar ook die betekenden al een aanzienlijke vooruitgang. Een koelkast kon nog lang niet iedereen zich veroorloven, maar aan het eind van de jaren vijftig had inmiddels wel bijna iedereen een stofzuiger. Er werd meer en meer reclame gemaakt voor luxe-artikelen als elektrische koffiemolens en keukenmachines. Langzamerhand werd het huishouden dus geëlektrificeerd en omdat het nog helemaal niet zo eenvoudig was om met al die apparaten om te gaan was er de Vrouwen Electriciteits Vereniging.

Een ware plastic-rage deed zich voor in de branche van de kleinere huishoudelijke artikelen. De vaat kon nu geruisloos worden gedaan, men had geen last meer van roestende emmers en brood werd vers gehouden in handige zakjes. Een rookworst in luchtdichte verpakking bleef wel vier weken goed. Aanvankelijk was plastic nogal brandbaar en de eerste plastic botervlootjes en litermaten scheurden nogal eens, maar dat verbeterde snel en spoedig waren de kunststofvarianten en hun toepassingen niet meer bij te houden. Een nieuwe wereld vol nylon, dralon, orlon, rayon en enkalon ging open.

Boodschappen doen ging ook veranderen. De bakker en de melkboer bezorgden weliswaar vaak aan huis, maar voor de overige boodschappen moest men naar de kruidenier, de drogist, de slager en de groenteboer. Naar Amerikaans voorbeeld werd het concept van de zogenaamde 'supermarkt' geïntroduceerd: een winkel met een breed assortiment aan artikelen onder één dak. Meer produkten in één winkel, tegen scherpe prijzen en minder dienstverlening: het eufemisme 'zelfbediening' was geboren. In 1952 begon Albert Heijn in Schiedam met de eerste

zelfbedieningszaak, in 1954 waren al 31 van de 359 Albert-Heijnwinkels op die leest geschoeid.

Klanten werden gelokt met cadeautjes die konden worden verdiend door zegels, merkjes of doppen te sparen. Nijver sparen leverde koppen en schotels, theelepels of handdoeken op, een Blue Band-encyclopedie, of een Piggelmee-album. Kinderen die flink melk dronken, kregen een insigne van de M-brigade.

Een interieur oude stijl.

De moderne woninginrichting, met meubels van rotan, licht hout en teak, raakte steeds meer in zwang. Aanvankelijk waren het uitsluitend intellectuelen uit het westen des lands die Pastoe-meubilair aanschaften, maar dank zij organisaties als de Bond van Plattelandsvrouwen drong het moderne interieur in wat bredere kring door. Toch verloor het gebloemde bankstel nog maar weinig terrein. Veel mensen vonden de moderne stoelen net hondemanden.

Na aanvankelijke tegenstand van de PvdA, die het maar verspilling vond, werd in Nederland reguliere televisie ingevoerd. Er heerste nog wel twijfel: zouden mensen zich niet onverantwoord in de schulden gaan steken om een tv-apparaat te kunnen kopen? Maar de regering gaf toestemming voor een periode van twee jaar. Op dinsdagavond 2 oktober 1951 was het zo ver. Staatssecretaris Cals waarschuwde in zijn openingswoord wel voor het gevaar 'dat ook wij Nederlanders, zoals in andere landen gebeurd is, niet meer van het scherm zijn weg te slaan en elk vrij minuutje aan deze massarecreatie gaan doen, met het gevolg dat wij niet meer zelf lezen'. Maar hij had toch goede hoop dat de televisie een voornamelijk positieve invloed zou hebben.
Vanaf dat moment werd drie uur per week uitgezonden, op dinsdag- en vrijdagavond. Aanvankelijk waren er niet meer dan een paar honderd kijkers, in 1952 stonden 1100 toestellen geregis-

Kerstmenu 1958: volgens de Libelle *niet te duur, niet te ingewikkeld maar toch apart: toostje met vissla, groentesoep met gehaktballetjes, varkensrollade, rode kool met ananas, sneeuwpudding en chocoladecake toe. Het menu op gewone dagen was nog heel Hollands met veel stamppot, bruine bonen en hangop toe.*

treerd. Vaak werd met veel mensen naar één toestel gekeken, zodat het publieke bereik gaandeweg niet onaanzienlijk werd. Televisie was een interessante nieuwigheid, waarmee cafés en radiowinkels klanten probeerden te lokken. Wie als particulier een toestel bezat, kreeg tijdens uitzendingen de halve straat op visite.

De opmars van de televisie was, na dit voorzichtige begin, niet meer te stuiten. In juli 1959 werd het vijfhonderdduizendste toestel in gebruik genomen en in 1961 volgde de miljoenste tv-aansluiting. Op de daken ontstond langzamerhand een woud van antennes. Vanaf 1957 was er vijf avonden in de week een programma, de zendtijd was uitgebreid tot 15 uur per week.

Voor de televisie werd het bestaande verzuilde omroepbestel van de radio gekopieerd. Aangezien er voorlopig slechts één net ter beschikking stond, werd de inhoudelijke scheiding in verzuilde compartimenten steeds kunstmatiger. Door de hoge kosten van het maken van (eigen) televisieprodukties zou op termijn ook beheersmatig de verzuilde structuur van Hilversum onder druk komen te staan.

Televisie bleek een indringend en emotionerend medium te zijn. De eerste nationale televisierel vond plaats naar aanleiding van het oneerbiedig geachte VPRO-programma *Dag Koninginnedag*

Televisie was in de jaren vijftig nog bijzonder. Wie een toestel had kon erop rekenen dat de hele buurt kwam kijken.

op 31 augustus 1957. In de jaren zestig, toen ook het publieks-
bereik van de televisie steeg, zouden er nog vele volgen. Zo
droeg ook de introductie van dit moderne massamedium in de
loop van de jaren vijftig bij tot de afkalving van de culturele
verzuiling.

Nederland en de wereld

Economische en sociaal-culturele modernisering maakten van
Nederland steeds meer een 'gewoon' land. De hiervoor beschreven ontwikkelingen deden zich in heel West-Europa voor en ze
leken in veel opzichten op wat in de Verenigde Staten al enige
decennia gaande was.

Ook op het gebied van de buitenlandse politiek raakte
Nederland steeds meer ingebed in algemene economische, politieke en militaire verbanden. De Nederlandse politieke elite
maakte zich vanaf het begin sterk voor het proces van de
Europese integratie. De samenwerking met België en
Luxemburg binnen de Benelux hield nog weinig in, deze was
vooral psychologisch van belang. Verder strekkend was de toe-
treding in 1952 tot de Europese Gemeenschap voor Kolen en
Staal (EGKS). De EGKS bleek een opmaat tot de totstandko-
ming van de Europese Economische Gemeenschap die op 1
januari 1958 van kracht werd. Nederland deed, gemotiveerd
door een combinatie van politiek idealisme en welbegrepen economisch eigenbelang, van harte mee aan het 'Europa van de
Zes', maar men betreurde het dat Groot-Brittannië niet tot de
EEG was toegetreden.

In Nederland voelde men namelijk veel voor het idee van de
zogenaamde 'Atlantische Gemeenschap': een verbond van West-
Europa, Groot-Brittannië en vooral de Verenigde Staten. Want
hoewel de Verenigde Staten in cultureel opzicht door de
Nederlandse elite werden gewantrouwd, werden ze politiek
gesproken welhaast aanbeden. Dat kwam niet alleen door de
herinnering aan de bevrijding en de Marshall-hulp, maar vooral
ook door de gemeenschappelijke vijand: het goddeloze en totali-

taire communisme van de Sovjetunie. Liberalen, christen-demo-
craten en sociaal-democraten: zij stonden pal achter de Navo,
ter verdediging van het Vrije Westen. De CPN werd, in 1948 na
Praag en weer in 1956 na de Hongaarse opstand, politiek en
moreel verketterd en zelfs met de NSB vergeleken.

Zolang binnen het klimaat van de Koude Oorlog de Atlantische
en de Europese lijn in één politiek concept verenigd konden
worden, zolang met andere woorden de belangen van de Navo
en de EEG niet botsten, kon de Nederlandse rol van bemidde-
laar tussen het Europese continent en de Angelsaksische buren
volgehouden worden.

Dat gaf dan toch nog een beetje eigenheid aan de plaats van
Nederland in de wereld. Want verder was ons land in internationaal opzicht een klein onderdeel van grotere regionale verbanden geworden. De Nederlandse identiteit werd vooral
intern, in de nationale binnenkamer, gezocht. Behalve de verzuiling, waar we allengs minder trots op werden, waren er het
Water en Oranje.

De traditionele strijd tegen het water werd gedramatiseerd door

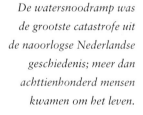

*De watersnoodramp was
de grootste catastrofe uit
de naoorlogse Nederlandse
geschiedenis; meer dan
achttienhonderd mensen
kwamen om het leven.*

64

*Koningin Juliana verwel-
komde prins Bernhard op
Schiphol na terugkeer van
een reis naar Zuid-Amerika.
Binnen Nederland wisten
zij hun verstoorde relatie
in deze jaren redelijk ver-
borgen te houden.*

de stormvloed van 1 februari 1953, die in zuidwest Nederland tweeduizend vierkante kilometer land onder water zette en 1800 doden eiste. Deze watersnoodramp leidde zowel tot spontane nationale hulpacties ('Beurzen open, dijken dicht') als tot structurele maatregelen. Het Deltaplan, in 1957 bij wet vastgelegd, moest herhaling van een dergelijke ramp voorkomen en voorzag in de afsluiting van de zeearmen tussen de Westerschelde en de Nieuwe Waterweg. Zo werden Hansje Brinker en Hollands Glorie verenigd in de Deltawerken, die het als nationaal symbool, samen met de kaas en de tulpen, in public relations-filmpjes voor het buitenland goed deden.

Hét onaantastbare nationale zinnebeeld bij uitstek was het Koningshuis. Het prestige van de Oranje-dynastie was, door de symboliek van Wilhelmina als Moeder des Vaderlands, tot ongekende hoogten gestegen. Na 1948 straalde de mythe af op haar dochter Juliana, die de verantwoordelijke ministers van tijd tot tijd echter voor netelige problemen stelde. Vooral haar in 1952, nota bene in de Verenigde Staten, openlijk beleden pacifistische opvattingen vielen in het heetst van de Koude Oorlog niet goed. In 1956 leidde de zogenaamde Greet Hofmans-affaire bijna tot een constitutionele crisis. Mevrouw Hofmans was een gebedsgenezeres die door Juliana te hulp geroepen was voor de genezing van haar slechtziende dochter Christina. In de buitenlandse pers werd gesuggereerd dat deze

De watersnoodramp kostte aan 1800 mensen het leven. Door het zoute water werd 100.000 hectare vruchtbare grond onbruikbaar gemaakt; tientallen dorpen waren overstroomd en van de buitenwereld afgesloten; talloze mensen zaten dagenlang geïsoleerd op daken en zolders; de spoorwegen waren grotendeels vernield en van de veestapel kon maar heel weinig worden gered.

Greet Hofmans Juliana, en daarmee de Nederlandse politiek, sterk beïnvloedde in pacifistische richting. Daarvan kwam weinig of niets naar buiten, onder andere doordat de Nederlandse pers zich op dit punt vrijwillig liet muilkorven. Het publieke imago van het 'gewone en toch zo bijzondere' Oranjehuis werd op deze wijze kundig in stand gehouden. Tegelijkertijd bleef het beeld van Nederland als stabiel en betrouwbaar Navo-lid intact. Gaandeweg kwamen er in deze façade van onbekommerde eensgezindheid barsten. In de kerken begonnen zich atoompacifisten te roeren. In 1958 werd vanuit vergelijkbare sentimenten de PSP opgericht, die daarnaast openlijk republikeins was. Hoewel deze splintergroepjes vooralsnog geen grote invloed kregen, kondigden zij toch het begin van het einde van het zwart-wit-denken aan (de Russen versus Nederland, de Verenigde Staten en de rest van de Navo). Na de Berlijnse crisis van 1958–'59 die nog in ouderwetse Koude-Oorlogstermen begrepen kon worden, dwong de Cubaanse rakettencrisis van 1962 de politici en de publieke opinie ertoe de mogelijkheid van een atoomoorlog onder ogen te zien. De vreedzame coëxistentie werd van een slap verhaal van Derde-Wegdominees tot een door velen erkende overlevingsnoodzaak.

Ten slotte drukte de kwestie-Nieuw-Guinea Nederland met de neus op het feit dat de koloniale tijden en de rol van Nederland als 'middelgrote mogendheid' echt voorbij waren. Minister van buitenlandse zaken Luns wilde op de hem typerende ludieke en eigenzinnige wijze nog wel een oorlogje in de Oost voeren, maar in 1962 redden de Verenigde Staten ons ten tweeden male voor een langdurig koloniaal conflict. Wat toen nog als internationale bijzonderheid overbleef, waren de voorlopig onschuldige 'laatste resten tropisch Nederland' in de West.

III. Een zuinige kennismaking met de nieuwe welvaart

1945-1960

Enkele jaren later, na de
Tweede-Kamerverkie-
zingen van maart 1959,
zou de Nederlandse
jeugd opnieuw van zich
doen spreken. Tijdens
een bijeenkomst op de
Amsterdamse Dam
begon een aantal jonge-
lui zich plotseling te
roeren, waardoor een
woeste rel ontstond
waarvan de oorzaak
nooit helemaal is ach-
terhaald. De kranten
spraken van 'nozems
die met fietsbeldoppen
gingen gooien' en de
politie greep met harde
hand in.

Veel Nederlandse jongeren waren na de bevrijding niet gelukkig. Want hoe veel verschrikkelijker hij voor anderen ook
geweest mocht zijn, de oorlog had toch vijf jaar van hun leven
verpest, en daarna was het ook armoe. Sommigen onder hen
herkenden iets van zichzelf in Frits van Egters, de hoofdpersoon
van *De avonden*, het in '47 verschenen boek van Gerard van het
Reve. Hoewel Van het Reve er de eerste Reina Prinsen-
Geerligsprijs voor kreeg had lang niet iedereen waardering voor
het door hem opgeroepen beeld van wanhoop en verveling. In
Elsevier schreef Godfried Bomans: 'Ik heb zelden een boek gelezen, zo naargeestig, zo zeer van iedere positiviteit verstoken, zo
grauw, cynisch en volstrekt negatief als dit.' Hij maakte zich
ernstig zorgen over de geestelijke gezondheid van de auteur.

Veel volwassenen maakten zich zorgen over de jeugd. Jongeren
zouden geen idealen hebben, geen verantwoordelijkheidsgevoel,
een mentaliteit van 'na ons de zondvloed'. Ze slenterden op
straat, kwamen te laat thuis, waren brutaal, gingen te vaak naar
de bioscoop, ze rookten te veel en luisterden aan één stuk door
naar de radio.

'*Verwildering der jeugd*'

De autoriteiten meenden dat de zedenverwildering bedenkelijke
vormen begon aan te nemen en besloten een enquête te houden,
die in 1952 uitmondde in het *Rapport maatschappelijke verwil-
dering der jeugd*. Daaruit bleek dat er inderdaad reden tot
bezorgdheid was, hoewel niet tot paniek. Over de Utrechtse
arbeidersjeugd werd gemeld: 'De vrije tijdsbesteding is ongecon-
troleerd en ongebonden. Op avonden door de week is de jeugd
meestal in de wijk te vinden, op straat, of soms thuis, luisterend
naar *Bonte Dinsdagavondtrein*, hoorspel, e.d. of bezig met
kaarten; op Zaterdag- en Zondagavond gaan zij, jongens en
meisjes, naar de stad: straatslenteren op Neude of Vredenburg
of naar de bioscoop. Dan wordt er heel wat gesnoept.
's Zondagsmorgens is het bij voorkeur uitslapen, 's middags
gaan velen naar de voetbalwedstrijd of naar de stad [...] zij gaan

(minstens eenmaal per week) naar de film, die lokt door spanning of sensatie. Bij de voetbalwedstrijd bestaat voorkeur voor de club uit eigen wijk, of waarin bekenden meespelen. De jeugd komt weinig in café of dancing [...] Het drankgebruik van deze jongens en meisjes is dan ook niet groot. Lezen doen zij weinig, hoogstens goedkope romans, wild-west en detectives of verhaaltjes uit *De Lach* of *Okido*.'

Onder Nederlandse kantoormeisjes was de zedenverwildering minder zorgwekkend. Op de radio luisterden ze naar hoorspelen en lichte of licht-klassieke muziek. 'Jazz en swing kunnen weinig bekoren [...] Romans, met name streekromans, dokter- en verpleegsterromans, boeken over kinderen en meisjesboeken hebben sterk de voorkeur.' De kantoormeisjes waren geabonneerd op de *Nobel-*, *Spiegel-* of *Opgangserie*, ze lazen mee in de leesportefeuille en in de *Margriet*, de *Libelle* en de *Panorama*. 'Soms kopen de meisjes zelf nog een *Okido* of een puzzlekrant om Zondags eens lekker te puzzelen.'

De Nederlandse middelbare schooljeugd besteedde naar eigen zeggen de vrije middagen, de zondag en nog vier avonden in de week aan huiswerk. De rest van de tijd werd besteed aan lezen, fietsen en helpen in de huishouding. De zaterdagmiddag was gereserveerd voor sport of jeugdbeweging: padvinderij, een christelijke jongelingsvereniging of een zangkoor of iets dergelijks. Met het bioscoopbezoek viel het alleszins mee. In een rapport van de hervormde kerk had gestaan: 'voor velen in onze tijd zijn film en vrije tijdsbesteding bijna gelijkluidende begrippen', maar onder de scholieren bleef het bioscoopbezoek beperkt tot een keer per maand en tot degelijke films: *Jeanne d'Arc*, *Fietsendieven*, *The third man* en *De drie musketiers*. Er werd wel veel naar de radio geluisterd, vooral naar hoorspelen en dansmuziek.

De scholieren zelf meenden dat het met de jeugd van tegenwoordig nogal meeviel. 'Wij jongeren hebben heus wel idealen,' kregen de enquêteurs ten antwoord, maar onze mentaliteit heeft geleden onder de oorlog: 'in de oorlog dacht men niet aan anderen en probeerde men zoveel mogelijk voor zich te krijgen. Vele

De avonden *van Gerard van het Reve, de belangrijkste naoorlogse roman, werd in 1989 verfilmd, met Thom Hoffman in de rol van Frits van Egters.*

jongens en meisjes hebben niets anders gezien in die tijd en hebben ook nu nog die geconcentreerdheid op zich zelf.' Ouderen moesten eerst eens naar zichzelf kijken, want zij vormden niet bepaald een lichtend voorbeeld. 'Wat hebben de ouderen ons dan gebracht? Is er vrede op de wereld?', was een karakteristieke reactie. 'Nauwelijks 3 jaren na de vrede (?) praatte men al weer heel gemoedelijk over een eventuele nieuwe oorlog.' 'Is het wonder, dat er soms gezegd wordt door de jeugd: Straks komen de Russen en dan gaan we er allemaal aan, dus waarom zou ik nog werken en mijn best doen, om wat te bereiken?'

Radio

Terwijl veel ouderen met weemoed terugdachten aan de dagen van Radio Oranje, toen het Nederlandse lied de boventoon voerde, hunkerde de jeugd naar de laatste hits van Bing Crosby en Frank Sinatra, Dinah Shore en Vera Lynn. In de betere kringen luisterden jongeren het liefst naar Benny Goodman en de

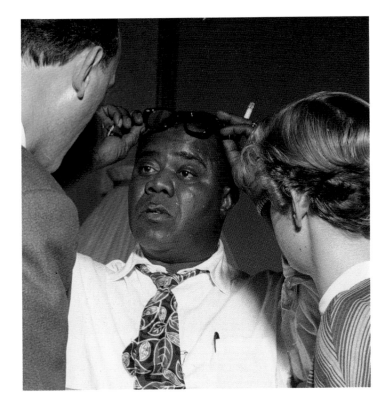

Op zijn Europese toernee in 1955 trad de jazz-musicus Louis Armstrong ook in Amsterdam op.

Dutch Swing College Band. Men wilde dansen op 'swing' en 'dixieland', maar op de Nederlandse radio was dergelijke muziek nauwelijks te horen. Jazz was te 'lichamelijk' en 'prikkelend' en werd daarom als uiterst verderfelijk beschouwd. Bovendien was het herrie. Als Frits van Egters naar de Ramblers probeert te luisteren zegt z'n moeder: 'Tuut tuut te tuut tuut [...] verschrikkelijk.' En zijn vader vraagt: 'Kan dat gemier niet af?'

Lange tijd was Pete Felleman de enige 'discjockey' in Nederland die Amerikaanse platen draaide. Jongeren stemden daarom de radio af op de AFN, de Amerikaanse legerradio in Europa. Om op de hoogte te blijven lazen ze bladen als *Tuney Tunes*, waarin men maandelijks voor een kwartje 'de teksten der laatste Dance- en Filmsongs en tevens wetenswaardigheden van Radio, Gramofoon en Film' kon vinden: de tekst van 'Don't fence me in', de uitslag van de Doris Day look-alike-wedstrijd en artike-

71

Corry Brokken was een van de populairste zangeressen in de jaren vijftig. Zij won voor Nederland de tweede editie van het Eurovisiesongfestival dat op 3 maart 1957 in Frankfurt werd gehouden met het nummer 'Net als toen'.

Twee jaar later, in 1959, zou Corry Brokken opnieuw deelnemen aan de Nederlandse finale voor het Eurovisie-Songfestival, maar ditmaal ging de eer naar Teddy Scholten met het liedje 'Een beetje'. Met datzelfde liedje zou zij dat jaar ook de eerste plaats behalen in het internationale Songfestival.

len over Pia Beck, de Skymasters en Patti Page. Maar ook de liefhebbers van het Nederlandse genre werden op hun wenken bediend: de tekst van 'Eens zal de Betuwe in bloei weer staan' werd net zo goed afgedrukt, naast uitvoerige artikelen over Mieke Telkamp en Max van Praag. Wel werd geklaagd dat de kwaliteit van het Nederlandse lied achteruit ging. 'Als de klok van Arnemuiden' werd een schaarse uitzondering genoemd.

De vooroorlogse omroepen – Vara en Avro (en soms de VPRO) op Hilversum 1, KRO en NCRV op Hilversum 2 – verzorgden namens de diverse zuilen radioprogramma's waarin het draaien van platen geen belangrijk onderdeel vormde. Er was naast verantwoorde klassieke muziek wel amusements- en 'lichte muziek' en er waren zelfs programma's waarin een orkest de populairste deuntjes van het moment ten gehore bracht, maar de voornaamste onderdelen waren, naast informatie en commentaar, de showprogramma's, de series en de hoorspelen. In de Verenigde Staten verhuisden dergelijke programma's naar de televisie en leek de radio op sterven na dood te zijn, tot men zich op het draaien van platen stortte. Diverse stations daar deden de hele dag niets anders en vooral het vaak draaien van weinig platen bleek een succesformule.

In Nederland was de radio vooral stichtend. Men luisterde na het nieuws, dat sinds 1949 werd verzorgd door het Algemeen Nederlands Persbureau, naar politiek commentaar van de gewenste richting (bijvoorbeeld Klaas Voskuil of G.B.J. Hiltermann). Of men luisterde naar een opbouwend praatje van bijvoorbeeld Jan Cottaar, die vooral jongeren via de sport deugden als wilskracht, sportiviteit en kameraadschappelijkheid trachtte bij te brengen, om hen in staat te stellen 'het fundament van een nieuwe, jonge maatschappij op hun schouders te nemen'. Veel programma's hadden een dergelijk stichtend karakter. Maar er mocht natuurlijk ook wel eens gelachen worden. Vooral 's avonds, na het eten. Dan kon het hele gezin genieten van de diverse showprogramma's: op dinsdagavond

Ruim vier jaar (1954-1958) was Nederland in de ban van de avonturen van de familie Doorsnee. Op de uitzendavonden waren de bioscopen leeg. Van links naar rechts staan: Wim Ibo, Cor Lemaire, Hetty Blok, Jo Visser, Mieke Verstraete en Kees Brusse. In het midden zitten Annie M.G. Schmidt en Sofie Stein.

Avro's Bonte Dinsdagavondtrein (met Toon Hermans), op donderdag de *Steravond* en op zaterdagavond *Showboat* van de Vara. Hoogtepunt daarin was een jaar lang (1954) Willem Parel, een creatie van Wim Sonneveld. Heel Nederland riep dat jaar in navolging van Sonnevelds orgeldraaier voortdurend 'weit u det?'

Gretig volgde men elke twee weken op maandagavond *In Holland staat een huis*, een serie van de Vara, waarin men de door Annie M.G. Schmidt verzonnen lotgevallen van de familie Doorsnee kon meebeleven. Kinderen mochten er langer voor opblijven. Soms was de inhoud vrij gewaagd (er kwam zelfs een homo in voor), maar men was zo vertederd dat enige vrijmoedigheid wel werd geaccepteerd. Maar de woorden 'pokkekat' en 'kontje' werden uit de tekst geschrapt.

Hetzelfde gold voor Wim Kan. Zijn oudejaarsconference (sinds 1954 om het jaar) werd als bijzonder scherp beschouwd, maar mocht omdat hij het zo leuk bracht. (Niet iedereen was overigens enthousiast: *Trouw* vond hem maar cynisch en hekelde in 1956 zijn 'keiharde spot': 'zijn eenzijdige pacifistische satire toonde nog eens duidelijk welk een rebelse affaire het cabaret eigenlijk is.') Tegen Godfried Bomans had niemand bezwaar. Hij was een populaire radiopersoonlijkheid van het meer oubollige soort. Hij trad op in *Kopstukken*, een rubriek in het programma *Tierelantijntjes*. Bijna iedereen vond hem leuk.

De radio was behalve informatief en stichtend dus vooral gezellig. Soms ook spannend. Kleine kinderen luisterden met rode oren naar de avonturen van Paulus de Boskabouter, Oeroeboeroe en Eucalypta, en de iets oudere jeugd volgde, samen met hun ouders, ademloos het hoorspel *Paul Vlaanderen*. De radio verloor langzaam maar zeker terrein. De avonturen van de familie Doorsnee liepen na zeven seizoenen op de radio langzamerhand ten einde en hun plaats werd ingenomen door de bewoners van Pension Hommeles, die vanaf het najaar van 1957 op de televisie waren te zien. Men luisterde minder, men keek nu naar de *Weekend* show met Johnny Kraaykamp en de door Mies Bouwman gepresenteerde quiz *Van je familie moet je het hebben.* En nadat in eerste instantie voornamelijk radio-coryfeeën furore hadden gemaakt op de televisie, begon de tv ook eigen helden te creëren: Rudi Carrell bijvoorbeeld, en Tom Manders, als Dorus.

Sporthelden

Ook het jaarlijkse hoogtepunt op sportgebied, de voetbalwedstrijd Nederland-België, kon op de beeldbuis worden gevolgd. Al in oktober 1953 werd geprobeerd de wedstrijd op de televisie te brengen. In de huiskamers met een televisietoestel zat men vol spanning te wachten. Ir. Ad van Emmenes zat gereed achter de microfoon, maar terwijl de spelers van Oranje en de Rode Duivels reeds het veld betraden wilde het beeld nog altijd niet doorkomen. Pas ruimschoots na de aftrap was er eindelijk beeld, maar het enige doelpunt van de wedstrijd was toen reeds gescoord.

Het was zowaar een Nederlands doelpunt, dat was in deze periode een zeldzaamheid. Aanvankelijk had het Nederlands elftal het na de oorlog niet slecht gedaan, vooral nadat de spelers het stopperspilsysteem onder de knie hadden gekregen. Maar sinds november 1949 was in vijfentwintig wedstrijden slechts een zege behaald. De oorzaak voor het tanen van Neerlands voetbalglorie lag in het voortschrijden van het professionalisme in het buitenland. Terwijl voetballers in Engeland, Frankrijk en Duitsland werden betaald voor hun inspanningen hielden de bestuurders van de Koninklijke Nederlandse Voetbal Bond vast aan het amateurisme. Het gevolg was dat de beste Nederlandse spelers werden weggekocht door buitenlandse clubs. Faas Wilkes vertrok in 1949 naar Inter Milaan, Frans de Munck ('de Zwarte Panter') ging naar Keulen en spelers als Kees Rijvers en Cor van der Hart zochten hun heil in Frankrijk. Alleen Abe Lenstra bleef thuis, ondanks verleidelijke aanbiedingen uit Frankrijk en Italië. Maar de aanwezigheid van Lenstra vermocht weinig voor het Nederlands elftal. In april 1954 werd, met Rinus Michels van Ajax in het centrum van de aanval, een

Abe Lenstra werd in 1951 en 1952 door Avro-luisteraars uitgeroepen tot sportman van het jaar. De honkvaste Fries wilde voor geen prijs Friesland verlaten. Zelfs op het aanbod van Fiorentina dat hij zijn eigen honorarium mocht vaststellen als hij naar Italië kwam, ging hij niet in.

75

smadelijke 4–0 nederlaag geleden tegen België. Nederland had de eer nog kunnen redden toen een strafschop werd toegekend, maar die werd huizenhoog overgeschoten. Daarmee was volgens Van Emmenes het faillissement van het Nederlandse voetbal bezegeld. De maat was vol: het was de tweeëntwintigste nederlaag in vijf jaar. En het kon anders, dat was een jaar eerder bewezen door een elftal van in het buitenland spelende Nederlandse profs, die in een benefietwedstrijd voor de slachtoffers van de watersnoodramp het gelouterde team van Frankrijk hadden verslagen.

De bondsbestuurders konden aan hun weigering om voetballers te betalen niet langer vasthouden toen in 1954 de Nederlandse Beroeps Voetbal Bond werd opgericht. De bij de amateurbond aangesloten clubs verloren zoveel spelers aan de nieuwe bond dat het professionalisme niet meer kon worden gestuit. In de zomer van 1954, tijdens het wereldkampioenschap waarvoor Nederland uit voorzorg niet eens had ingeschreven, vond de ommekeer plaats. De KNVB fuseerde met de nieuwe bond van beroepsvoetballers en in november ging de eerste betaalde competitie van start. De in het buitenland spelende profs mochten weer voor het Nederlands elftal uitkomen, en het effect was meteen merkbaar. In 1956 won Nederland zelfs, en nog wel in Düsseldorf, van wereldkampioen West-Duitsland. Van de 26 wedstrijden tussen begin '55 en mei '58 werden er veertien gewonnen. De verwachtingen waren hooggespannen, maar Nederland wist zich niet te kwalificeren voor de eindronden van het wereldkampioenschap in 1958. Wel werd in 1959 een legendarische 9–1 overwinning op België behaald.

Het volgen van de vaderlandse voetbalcompetitie werd vanaf 1957 extra aantrekkelijk gemaakt doordat het, zoals elders al veel langer, mogelijk werd om te gokken op de uitslagen: ondanks calvinistische protesten werd de toto ingevoerd. De wedstrijden trokken volle tribunes en op zondag op de radio en op maandag in de kranten werd er veel aandacht aan besteed. Vanaf 1959 was de competitie bovendien te volgen in het televisieprogramma *Sport in beeld*.

In de periode dat het nationale elftal nederlaag op nederlaag stapelde vond sportminnend Nederland nieuwe helden onder de 'dwangarbeiders van de weg', de wielrenners. De wielersport werd in Nederland aanvankelijk vooral bedreven op de piste. Op baanwedstrijden kwam veel publiek af en daarin kon door de renners dus geld worden verdiend. Na de oorlog waren de baanwedstrijden aanvankelijk nog populair (Arie van Vliet en Jan Derksen werden wereldkampioen sprint), maar in de jaren vijftig groeide de belangstelling voor het wielrennen op de weg. Het grootste evenement op dat gebied was de Tour de France. Daaraan hadden sinds 1936 wel Nederlandse renners deelgenomen en ze hadden ook wel enig succes geboekt, maar na de oorlog waren de resultaten aanvankelijk niet erg aansprekend. Dat veranderde op slag toen in 1951, op initiatief van een tweetal journalisten, een Nederlandse ploeg werd afgevaardigd onder leiding van oud-renner Kees Pellenaars. Als ploegleider hanteerde hij dezelfde formule als tijdens zijn actieve carrière: hij liet zijn renners voortdurend aanvallen. Ook als die tactiek niet tot overwinningen leidde was succes verzekerd, want de koers werd er door verlevendigd, en publiek en organisatoren zagen dat gaarne. In de etappe van Agen naar Dax was zo'n aanvalspoging onvermoed succesvol: Wim van Est won niet alleen de rit, hij veroverde ook nog de gele trui. Dit wapenfeit veroorzaakte al een golf van publiciteit en enthousiasme, maar het Nederlandse Touroptreden werd pas echt legendarisch toen 'IJzeren Willem' daags daarna tijdens de afdaling van de Col d'Aubisque van de weg raakte en in een ravijn stortte. In de kranten verschenen dramatische verslagen en foto's van Van Est die langs een koord van touw en aan elkaar geknoopte fietsbanden uit het ravijn klauterde en huilend moest opgeven. De horlogefabrikant Pontiac, een van de sponsors van de ploeg van Pellenaars, maakte onmiddellijk reclame met het ongeval. Een foto van de huilende Van Est kreeg als onderschrift: 'zeventig meter viel ik diep, m'n hart stond stil, maar m'n Pontiac liep.'

Het enthousiasme was gewekt, en vanaf het volgende jaar wijdde de radio voor het eerst dagelijks reportages aan de Tour. (De val van Wim van Est had de toenmalige reporter Jan Cottaar moeten verslaan op de Belgische radio.) Aan het toestel gekluisterd volgde het thuisfront in het vervolg de successen van de renners van Pellenaars, die in belangrijke mate bijdroegen aan de bloei van het wielrennen op de weg in Nederland. Hans Dekkers, Gerrit Voorting, Wim van Est, Wout Wagtmans en Henk Faanhof wonnen etappes, Jan Nolten duelleerde in de bergen met Fausto Coppi en in 1953 wist Nederland het ploegenklassement te winnen. Het jaar daarop mocht Amsterdam als eerste stad buiten Frankrijk als startplaats voor de Tour fungeren.

Wim van Est veroverde in 1951 als eerste Nederlander in de Tour de France de gele trui, maar moest deze door zijn val in een ravijn afstaan. De dag op de Col d'Aubisque bezorgde hem de bijnaam 'IJzeren Willem'.

De eerste naoorlogse sportheld was Fanny Blankers-Koen, die bij de Olympische Spelen in Londen in 1948 vier gouden medailles wist te winnen. Verder waren het behalve voetballers en wielrenners vooral schaatsers die tot de verbeelding spraken. Schaatsen was natuurlijk een volkssport, maar toch had Nederland weinig internationale schaatskampioenen gekend. Een probleem was dat er lang niet elke winter ijs lag. In kwakkelwinters weken de beste schaatsers daarom uit naar Hamar, waar menig Nederlands kampioenschap werd verreden. In de jaren vijftig vestigde Kees Broekman zich zelfs permanent in Noorwegen. Bij de Olympische Spelen in 1952 haalde hij, net als Wim van der Voort, een zilveren medaille. Ze eindigden beiden achter de Noorse kampioen Hjalmar Andersen, die drie afstanden won. Toen Andersen na de spelen zijn carrière beëindigde kon Broekman in 1953 als eerste Nederlander Europees kampioen worden.

Jeen van den Berg, winnaar van de Elfstedentocht 1954.

Meer nog dan het langebaanschaatsen sprak de Elfstedentocht tot de verbeelding. De eerste naoorlogse editie werd verreden tijdens de strenge winter van 1946–'47. Het vroor die winter meer dan zestig dagen en hier en daar lag ijs van een meter dik. Toen in februari het startsein werd gegeven was het veertien graden onder nul en er stond een harde oostelijke wind. Het opgevroren dooi-ijs was slecht, vol schotsen en scheuren, en de wind blies daar ook nog sneeuw en zand overheen. Slechts 326 van de ruim tweeduizend deelnemers haalden de eindstreep. De twee schaatsers die de kou en de snijdende wind het best doorstonden waren de Steenwijkerwoldse boer Klaas Schipper (met een groot wit verband om z'n hoofd) en de 29-jarige timmerman Joop Bosman uit Breukelen. Schipper viel in de eindsprint en Bosman won dus de barre tocht, in 10 uur en 35 minuten. Een bovenmenselijke prestatie, die naderhand werd beloond met diskwalificatie wegens 'opleggen': de schaatsers in de kopgroep hadden elkaar zo nu en dan vastgehouden en dat was tegen de regels. De nummers 1 tot en met 4 werden allemaal uit de uitslag geschrapt.

Zeven jaar later, in 1954, vond pas de volgende Elfstedentocht plaats. Dit keer was het mooi zonnig weer, bij vijf graden onder nul, en het ijs was uitstekend. Het tempo lag onwaarschijnlijk hoog, de stem van radioverslaggever Dick van Rijn sloeg er van over. De winnaar was uiteindelijk drie uur sneller dan Bosman in 1947. Die winnaar was Jeen van den Berg, schoolmeester te Nijbeets, die als eerste van de kopgroep zag dat er op het bord met het woord 'Eindstreep' in kleinere letters nog '500 meter' stond.

Op 14 februari 1956 gingen vijf rijders gezamenlijk over de finish van de tiende officiële Elfstedentocht. Het bestuur had geen enkele waardering voor deze sportieve solidariteit en diskwalificeerde het vijftal.

In 1956 was het weer ouderwets bar: min veertien, slecht ijs, sneeuw en stormachtige wind. Uiteindelijk bleven vooraan zes met sneeuw en ijs bedekte schaatsers over. Voorbij Franeker besloten ze er niet om te gaan sprinten en hand in hand over de finish te gaan. Onder hen was ook weer Jeen van den Berg, maar die reed kort voor het einde in een scheur, zodat hij met een kromme schaats moest afhaken. De overige vijf gingen inderdaad gezamenlijk over de streep. Een ontroerend staaltje van eendracht en sportiviteit, waarvoor het Elfstedenbestuur echter geen enkele waardering had. Niemand kreeg een prijs.
De Elfstedentocht was een restje folklore in een wereld waarin de vooruitgang onherstelbaar voortschreed.

U i t

Voor het met steeds grotere vaart voortrazende snelverkeer werd in 1954 de eerste autosnelweg in gebruik genomen, tussen

Amsterdam en Utrecht. Kinderen moesten bij het voetballen op straat gaan oppassen voor passerende en geparkeerde auto's. In grote steden ontstond zelfs een parkeerprobleem, en in Amsterdam opperde de hoofdcommissaris van politie om ten behoeve van parkeerruimte grachten te dempen. Het verkeer werd onveiliger: in 1949 vielen er door verkeersongevallen al 851 doden; 130.000 weggebruikers werden veroordeeld wegens verkeersovertredingen. Er werden nieuwe verkeersborden ingevoerd (het eenrichtingsverkeer) en er kwam aparte wetgeving voor het snelverkeer. In 1956 werd de maximum snelheid voor brommers bepaald op veertig kilometer per uur, in de bebouwde kom mocht sinds 1958 niet harder dan dertig worden gereden. Auto's mochten daar al niet harder dan vijftig. Voor alle zekerheid werden bij zebrapaden toch maar knipperbollen

In de jaren vijftig konden kinderen nog zonder al te veel problemen op straat spelen. Zij amuseerden zich met knikkeren, hinkelen, touwtje springen, verstoppertje spelen, bokspringen en voetballen.

81

geplaatst. Op kruispunten werd de politie-agent langzamerhand vervangen door stoplichten.

Met brommers, scooters en auto's kwam men verder dan op de fiets. De in het begin van de jaren vijftig geopende attracties als de Keukenhof, Madurodam en de Efteling werden er bijvoorbeeld mee bereikbaar. En in tegenstelling tot de trein en de bus brachten ze je precies waar je wilde wezen. Lopen was niet meer nodig. Spoedig ontwikkelde zich het zogenaamde 'bermtoerisme': men reed naar een leuk plekje, parkeerde de auto in de berm en ging in de schaduw van de uitlaat zitten picknicken.

De toenemende welvaart ging gepaard met toenemende normvervaging, vooral onder de jeugd natuurlijk. Het was al te zien aan het uiterlijk. Plus-fours, pull- en slipovers raakten langzamerhand uit de gratie. Er waren jongens die hun haar in bebopmodel lieten knippen, anderen smeerden er Brylcreem in en fabriceerden kuiven en kippekontjes. Ze trokken sweaters en vuurrode sokken aan. De houtje-touwtje-jas verloor terrein aan

De keukenhof, een van de grootste publiekstrekkers van Nederland.

de parka. Meisjes hulden zich, in navolging van Brigitte Bardot, in strakke truitjes en tijdens een 'fuif' droegen ze petticoats. Hun haar werd in model gehouden met haarlak, en hun rokken werden almaar korter. Als ze tenminste een rok droegen, want steeds meer meisjes, en ook volwassen vrouwen, gingen een broek dragen.

Even uitbundig als hun kledij was het gedrag van de jeugd. Er werd schande gesproken van de chaos die in 1953 ontstond in het Amsterdamse concertgebouw, toen Lionel Hampton daar optrad. Maar de berichten uit Amerika waren nog veel ernstiger: daar was een complete rage ontstaan rond het nummer 'Rock Around The Clock' van een zekere Bill Haley. Het was het eerste lied met speciale betekenis voor 'teenagers'.

Redacteur Skip Voogd signaleerde in 1955 in Tuney Tunes dat de Amerikaanse jeugd 'opzwepende dansen' uitvoerde 'op liedjes uit het "Rhythm and blues" idioom': 'de jongens zijn gekleed in spijkerbroeken (met annex bontgekleurde shirts) en de meisjes, die in dito kledij verschijnen, onderscheiden we slechts van de manlijke sexe door hun Mickey Mouse kapsel [...] weldra wankelt en waggelt het hele "publiek" op de maat van "Shake, rattle and roll" door de zaal [...] al die spijkerbroeken rollen over elkaar, smijten stoelen en tafeltjes door de zaal, klimmen op alles wat er te beklimmen is [...] Hier wordt de

83

Jan Vrijman schreef in Vrij Nederland *over de nozems:* 'Uitgekookte jongens die iets anders van het leven verwachten dan een keurige betrekking, een degelijk huwelijk en fatsoenlijk aanlanden bij Drees. Ze geloven dat het leven iets ingrijpenders, iets absoluters te bieden heeft: dat is de fout van de nozems. [...] Geluk is voor hen iets anders dan behaaglijkheid.'

Bill Haley maakte met de film Rock around the clock *de rock & roll razend populair, ook in Nederland.*

"mieterste" muziek gemaakt, die je je maar kunt voorstellen [...] Het grootste gedeelte van de "Rock 'n Roll"-muziek wordt geïmproviseerd door de bandleden, die hierbij van geen enkele grondmelodie uitgaan, maar er vrolijk op los blazen en slaan.' Overal 'voert men de wilde en onzinnige dansen op' en 'hebben de meest lugubere en mensonterende tonelen plaats'. 'De dansleraren snappen er niets van: deze dansen gaan blijkbaar volgens een geheim recept. In een moordend tempo grijpen de partners elkaar met twee handen om het middel en starten vervolgens een gespring en een dosis "gooi en smijt"-werk, dat een normaal mens hun bewegingen niet meer kan "volgen" [...] Er zijn mensen die hun neus ophalen voor liedjes als "Bij ons in de Jordaan" [...] maar als we heel eerlijk zijn, moeten we toegeven, dat we liever een "gezellig feestje" meemaken waar het hele Jordaanrepertoire wordt afgedraaid, dan dat we met songs als "Earth Angel" en "Shake, rattle and roll" de beest moeten uithangen.'

Ook in Nederland ontstonden wanordelijke toestanden toen de film *Rock Around The Clock* werd vertoond. Tijdens de film werd tussen de stoelen gedanst en na afloop kwam het in Dordrecht, Assen en Castricum tot botsingen tussen politie en 'rock & roll' roepende jongeren. In Gouda werd op last van de burgemeester het geluid afgezet en in Apeldoorn en Leeuwarden

werd zelfs een vertoningsverbod uitgevaardigd. Uit vrees voor meer ongeregeldheden werd in Amsterdam zelfs een optreden van de Dutch Swing College Band verboden.

Overigens deed de gevestigde orde rock & roll spoedig af als een idiote uit Amerika overgewaaide rage die wel weer zou overgaan, net als de hoelahoep. Op dansles werden er (als de dansleraar het tenminste kon volgen) de laatste tien minuten aan besteed, dan mocht de jeugd even 'jiven'.

Normvervaging

In 1955 wijdde Jan Vrijman in *Vrij Nederland* een reportage aan een van de 'paniekverschijnselen van onze cultuurmachine': de nozem. Nozems waren jonge mannen die het leven maar duf vonden en in groepjes lanterfantend sensatie zochten. Ze hingen vaak rond bij een patatzaak en pestten voorbijgangers. Meestal hadden ze brommers. Soms deden ze aan 'ju-jutsi'. Ze waren te vinden in alle grote steden. Het bekendst werden de Amsterdamse nozems van de Nieuwendijk: de 'dijkers', met in hun gelederen types als Jan Cremer. Shag rokende arbeiders, die zich vermaakten met films en stevige muziek, en op zaterdagavond, aldus Jan Cremer, 'achter de wijven aangingen en zondags uitsliepen of met hun motor tochtjes maakten'.

Er heerste klaarblijkelijk onvrede onder de jeugd. Maar het ging natuurlijk slechts om kleine groepjes. De meeste jongeren vonden, met hun ouders, vetkuiven en rock & roll maar ordinair. Hun favoriet was Eddy Christiani, de zanger van 'Op de woelige baren'. Uit de jaarlijkse poll van *Tuney Tunes* bleek in 1957 dat Eddy Christiani en Max van Praag nog altijd Neerlands favoriete zangers waren, en Corry Brokken (dat jaar met het lied 'Net als toen' winnares van het tweede Eurovisie-songfestival) en Annie de Reuver de populairste zangeressen. De buitenlandse artiesten die men het liefst hoorde waren Caterina Valente en de buitengewoon brave Pat Boone, een van de vele zangers van een waterig aftreksel van rock & roll, dat niets aanstootgevends meer had. *De Libelle* concludeerde in 1956:

Het genopte dessin was in de jaren vijftig zeer modieus. Daarnaast waren de deux-pièces, de nylonkousen met versieringen en de petticoats in opmars.

De tegenhanger van de petticoat: het eenvoudige mantelpakje.

'Niettegenstaande alle sombere geluiden over de oppervlakkigheid, de lichtzinnigheid van de hedendaagse jeugd, blijkt het meest voorkomende type meisje in ons land een rustig, serieus mensenkind te zijn, dat als ideaal een gelukkig huwelijksleven ziet en dat haar verlangens bepaald hoger stelt dan een avondje bebop.'

Maar toch. Van de middelbare scholieren had in 1952 28 procent geen catechisatie gehad en 50 procent was niet op een zondagsschool geweest. Terwijl 70 procent van de ouders regelmatig naar de kerk ging, gold dat nog maar voor 39 procent van de scholieren zelf.

Niet alleen onder de jeugd veranderden de normen. In 1950 deed de politie nog een inval bij de Nederlandse Vereniging voor Sexuele Hervorming (opgericht in 1946) om voorbehoedmiddelen in beslag te nemen, maar bij een enquête in 1952 achtte nog slechts 41 procent van de ondervraagden geboortenbeperking ontoelaatbaar. In 1955 had de NVSH al meer dan honderdduizend leden, vier jaar later waren dat er zelfs 170.000.

Vooral aan christelijke zijde werden nog enige aandoenlijke achterhoedegevechten geleverd tegen de voortschrijdende normvervaging. In Zuidnederlandse dorpen werd tegen meisjes en vrouwen die in het openbaar iets anders droegen dan een rok of jurk die tot op de enkels reikte proces-verbaal opgemaakt. Ook op het strand en op kampeerterreinen golden hier en daar strenge politieverordeningen die 'ontkleed' zonnen en gemengd kamperen onmogelijk maakten.

In het dagblad *Trouw* stond op maandag niets over sportwedstrijden die op zondag hadden plaatsgevonden. In katholieke bladen werden blote damesschouders in zeepadvertenties bedekt met mouwen en kraagjes. Idil, de rooms-katholieke inlichtingendienst inzake lectuur, ontraadde katholieke lezers de roman *De dokter en het lichte meisje* van Simon Vestdijk, en de Algemene Spoorweg Boekhandel Bruna besloot in 1954 zich niet meer te lenen voor de verkoop van tijdschriften als *Bolero*, waarin schaars geklede dames in pikante poses waren te zien.

In 1955 werd *De liefde van Bob en Daphne* door justitie in

beslag genomen. 'Wat is jouw ding al groot hè? Gô hé, je doet net of je dat vervelend vindt! Dat is toch juist reuze fij-ijn?' Over de vraag of dergelijke passages pornografisch waren werd acht jaar lang geprocedeerd.

In 1952 werd W.F. Hermans, na een hetze in *De Volkskrant* en *De Telegraaf*, voor de rechter gesleept op beschuldiging van godslastering. In het eerste hoofdstuk van *Ik heb altijd gelijk*, verschenen in het literaire tijdschrift *Podium*, had hij de hoofdpersoon Lodewijk Stegman laten uitroepen: 'De katholieken! Dat is het meest schunnige, belazerde, onderkruiperige, besodemieterde deel van ons volk! Maar die naaien erop los! Die planten zich voort! Als konijnen, ratten, vlooien, luizen. Die emigreren niet! Die blijven zitten in Brabant en Limburg met puisten op hun wangen en rotte kiezen van het ouwels vreten!'

Maar hoeveel opzien het werk van Hermans ook baarde, zijn publiek bleef beperkt. Bij een enquête in 1951 bleek dat slechts een kleine minderheid in Nederland zijn boeken kende. Daarentegen had 36 procent van de ondervraagden wel eens een boek van Anne de Vries gelezen. Werk van Jan de Hartog en A.M. de Jong was bij 35 procent bekend, Ina Boudier-Bakker scoorde 28 procent. Onder de middelbare schooljeugd waren de meest gelezen boeken, naast *Max Havelaar*, *Bartje* van Anne de Vries, *Hollands Glorie* van Jan de Hartog, *Het fregatschip 'Johanna Maria'* van Arthur van Schendel, *Armoede* van Ina Boudier-Bakker, *Kinderen van ons volk* van Anton Coolen, *Orpheus in de Dessa* van Augusta de Wit, *De kleine Johannes* van Frederik van Eeden en *Sil de strandjutter* van Cor Bruyn.

Hoewel er weinig opruiends bij was, werd de jeugd wel degelijk bedreigd, en wel door de opkomst van het stripverhaal. Speciaal de boekjes met de avonturen van Dick Bos werden door ouderen als uiterst verderfelijk beschouwd. Jongere kinderen werden bedreigd door de onstuimige opkomst van de Donald Duck. Vanaf 1952 werd het 'vrolijk weekblad' met de getekende avonturen van Donald Duck, zijn neefjes Kwik, Kwek en Kwak, oom Dagobert en Mickey Mouse ook in een Nederlandse versie uitgegeven. Verantwoorde ouders waren erop tegen dat hun

De jeugdmarkt groeide. Aan het eind van de jaren vijftig kreeg Donald Duck concurrentie van Sjors van de Rebellenclub.

De consument werd koning. Automatieken waar kroketten en gehaktballen getrokken konden worden, gingen het straatbeeld in de binnenstad bepalen. Er werd ook geëxperimenteerd met automaten voor grammofoonplaten, panty's en bloemen, zonder veel succes.

kinderen stripverhalen lazen, want dat bevorderde de gemakzucht en was dodelijk voor de fantasie. Zulke ouders gaven hun kinderen liever blaadjes als *Kris Kras*.

Echte boeken werden intussen beter betaalbaar. Ze werden niet langer alleen gebonden, maar ook voorzien van een slappe gelijmde kaft. In 1951 verschenen de eerste Prisma-pockets, te koop voor f 1,25. Daarna volgden de Zwarte Beertjes, de Ooievaars en de Salamanders.

Modern zijn

Modern zijn werd steeds belangrijker, en het criterium daarvoor vormden allerlei uiterlijke kenmerken, die in advertenties werden aangeprezen. De reclame richtte zich in toenemende mate op jonge mensen. Wie erbij wilde horen moest zorgen dat hij in het bezit kwam van een platenspeler, een fototoestel, een scooter of een auto; hij moest bepaalde kleding dragen, en espresso drinken. 'Vroeger kostte het een smak geld om jong en mooi te zijn', constateerde Fritzi ten Harmsen van den Beek in 1960 in het blad *Twen*, 'alleen vermogende mensen waren elegant, ontwikkeld, bereisd en belezen, sportief, exclusief. Tegenwoordig is iedereen exclusief. Met een inkomen van f 300,- in de maand is iedereen die dat per se wil, aantrekkelijk, modieus, geestig.'

88

iv. Een vanzelfsprekend recht op geluk

1960-1973

Vrolijke modernisering:
groei van economie en welvaart

In de jaren zestig zette de economische groei, die al in de tweede helft van het vorige decennium zichtbaar was geworden, onverminderd door. In de gehele periode van 1950 tot 1970 was er sprake van een jaarlijkse groei van rond de vijf procent. Dat was een historisch hoogtepunt. Nooit eerder kende Nederland een zo langdurige periode van voortgezette economische groei. Internationaal gezien was het echter ook weer geen uitzonderlijke prestatie: landen als de Bondsrepubliek Duitsland, Frankrijk, Italië en de Verenigde Staten kenden in deze periode vergelijkbare groeipercentages.

Ten opzichte van de jaren vijftig valt op dat bestaande trends zich in de loop van de jaren zestig verscherpt doorzetten. De meest opvallende groei van de produktiviteit viel te meten in de sectoren van de metaal en de chemie: moderne industrietakken, die veel energie vroegen. Die behoefte aan energie vertaalde zich in een forse uitbreiding van de openbare nutsbedrijven die voor de nieuwe industrieën en voor de moderne huishoudens, inmiddels voorzien van tal van elektrische apparaten en steeds meer ook van centrale verwarmingen, de benodigde elektriciteit en warmtebronnen leverden. Naast olie ging aardgas een steeds belangrijkere rol vervullen als energiedrager. Door de spectaculaire vondst van aardgas bij Slochteren in 1959 werd winning en distributie van deze relatief goedkope brandstof mogelijk. Het gevolg was wel dat nu de kolenwinning extra onrendabel werd, hetgeen zou leiden tot sluiting van de Limburgse mijnen.

Het patroon van de export liet deze structuurwijziging in de Nederlandse economie duidelijk uitkomen. Het aandeel van voedings- en genotmiddelen daarin daalde ten gunste van de toegenomen export van chemische produkten en machines. Niet dat de land- en tuinbouw verdwenen. Integendeel, de tuinbouw maakte een grote expansie door ten gevolge van technische vernieuwing en verhoging van de produktiviteit. De akkerbouw en veeteelt maakten een moeilijke periode door. De prijzen op de wereldmarkt daalden en de arbeidsproduktiviteit steeg in deze sectoren onvoldoende. In de jaren zestig zette een proces van rigoureuze schaalvergroting en sanering in. Vele kleinere boerenbedrijven werden weggesaneerd, door de ruilverkaveling nam het aantal boeren af terwijl de omvang van de produktie per landbouwbedrijf steeg. Door mechanisering en produktvernieuwing hoopte men de concurrentie met de wereldmarkt weer aan te kunnen.

De nieuwe boerenbedrijven in de Zuiderzeepolders vormen qua omvang en werkwijze een goede illustratie van wat men zich in de kring van agrarische plannenmakers als ideaal voorstelde. In 1968 werd getracht dit beleid op Europees niveau te tillen door middel van het zogenaamde plan-Mansholt, genoemd naar de toenmalige vice-voorzitter van de Europese Commissie, de Nederlander Sicco Mansholt.

In Nederland heeft deze rationalisering en efficiency-verhoging van de landbouw gedeeltelijk succes gehad. De omvang van de

De Rotterdamse haven was een van de belangrijkste aanjagers van de snelle economische groei in Nederland.

produktie steeg tot ongekende hoogten. Of het echt rationeel was, kan echter betwijfeld worden. Nog steeds en zelfs in toenemende mate moest de landbouw gesubsidieerd worden door de Europese Economische Gemeenschap, omdat de prijzen van agrarische produkten hoger lagen dan die op de wereldmarkt. Door de combinatie van produktiviteitsstijging en subsidiëring ontstonden dure overschotten: de boter- en vleesbergen.

De bescherming die de EEG bood aan de Nederlandse landbouw is één voorbeeld van de voordelen die er uit de Europese economische samenwerking te peuren vielen. De export van Nederlandse industrieprodukten, onder andere uit de genoemde sectoren metaal en chemie, ging in toenemende mate naar andere lidstaten van de EEG. Deze vervlechting van de Nederlandse economie met die van van de andere landen van de EEG bleek ook uit de enorme groei van het transportwezen.

Hier kan hetzelfde beeld geschetst worden als bij de industrie. De in de jaren vijftig ingezette ontwikkeling van groei in transito- en overslagverkeer zette door in kwalitatieve en in kwantitatieve zin. De omvang van de afgehandelde goederenstromen nam toe en de wijze van behandeling werd gerationaliseerd, wat met name zichtbaar werd in de sector van het containervervoer per schip, trein en vrachtwagen. Ook hier gold dus weer: technologische ontwikkelingen die leidden tot rationalisering, schaalvergroting en efficiency-verhoging. De meest spectaculaire voorbeelden van dit proces zijn de Rotterdamse havens en Schiphol, dat zich ontwikkelde tot de vierde luchthaven van Europa.

Door deze tendens werd de arbeidsproduktiviteit in vrijwel alle sectoren van de economie vergroot. Steeds minder gewerkte uren waren nodig om dezelfde hoeveelheid produkten te maken. Dat niettemin voor een nog steeds toenemende bevolking voldoende banen gevonden werden, geeft aan dat er een aanzienlijke groei in de bestaande produktie plaatsvond én dat er tal van nieuwe produkten en beroepen bedacht werden.

Een groot deel van de differentiatie en vernieuwing viel te vinden in de tertiaire sector: de dienstverlening op commercieel

92

gebied en in de collectieve sector. Dat laatste was een begeleidingsverschijnsel van de nog te bespreken groei van de verzorgingsstaat.

Het banenoverschot was in deze periode zo groot, dat men
overging tot actieve werving van wat toen nog 'gastarbeiders'
genoemd werden. Eerst Italianen en Spanjaarden, later kwamen
de Turken en bewoners van andere Islamitische landen rond de
Middellandse Zee aan de beurt.

Er vond, naast de al genoemde, nog een tweede transportrevolutie plaats: die in het woon- werkverkeer. De in de jaren vijftig
op het gebied van de volkshuisvesting in gang gezette ontwikkeling van nieuwe buitenwijken werd geïntensiveerd. De wijken
werden grootschaliger en kwamen nog verder van de industriële
en commerciële stadskernen af te liggen. Naast uitbreiding van
de grote stedelijke agglomeraties trad ook het verschijnsel van
de uitbreiding van de zogenaamde randgemeenten op. Kleinere
dorpen om de grote steden heen groeiden uit hun krachten. Ook
hier kwamen tal van uitbreidingswijken om deze nogal mislei-
dend als 'trek naar het platteland' betitelde migratie op te van-
gen.

In beide gevallen, in dat van de nieuwe, ver buiten de stadskern
gelegen slaapsteden en in dat van de forensengemeenten, werd

93

De auto rukte in de loop van de jaren zestig op en zorgde voor grote problemen in de binnensteden.

de actieradius van het woon-werkverkeer drastisch vergroot. De nieuwe afstanden werden overbrugd met behulp van particulier vervoer. Dat wilde in de jaren zestig niet meer zeggen: de fiets of bromfiets, maar de auto. Het aandeel van het openbaar vervoer in het reizigersverkeer nam af. Zo steeg het aantal reizigers bij de spoorwegen tot 1963 nog steeds, maar – bij toenemende economische activiteit – nam het reizigersvolume daarna af tot aan de oliecrisis van 1973. Daartegen stak de groei van het autogebruik duidelijk af. Deze was explosief te noemen. De jaarkilo-

metrage vervijfvoudigde tussen 1950 en 1973. Het aantal auto's werd niet meer, zoals in de jaren vijftig, in honderdduizenden geteld, maar in miljoenen.

Deze transportrevolutie had verstrekkende gevolgen op tal van gebieden. Economisch was zij van belang door de groei van de automobielbranche en de wegenbouw. De ruimtelijke ordening werd – door de aanleg van wegen en de planning van steeds meer 'tuinsteden' en flatwijken – in hoge mate afgestemd op het autobezit.

In de persoonlijke levenssfeer werd voor de overgrote meerderheid van de bevolking het bezit en gebruik van de auto een eer-

Het wegennet moest aan het groeiend aantal auto's worden aangepast.

De Bijlmermeer, met zijn verkeerswegen op drie niveaus, veel groen en kwalitatief goede woningen, moest de stad van de toekomst worden. In november 1967 arriveerden de eerste bewoners.

ste levensbehoefte. Zo dat niet in alle gevallen letterlijk zo was (per slot wás er een heel behoorlijk systeem van openbaar vervoer), emotioneel werd het zeker zo gevoeld. Niet voor niets zouden in de oliecrisis van 1973 de emoties zo hoog oplopen. Men voelde zich in zijn bewegingsvrijheid en zelfstandigheid aangetast. Het 'blij dat ik rij'-gevoel werd zelfs al bedreigd door de instelling van een brandstofbesparende maximumsnelheid van honderd kilometer, getuige de door veel automobilisten gevoerde slogan 'Ik rij honderd, als Den Uyl opdondert'.

In die zin was het probleem van de auto, samen met dat van de rationalisering van de landbouw, illustratief voor de gevolgen van de ongebreidelde economische groei. Nieuwe woonwijken, nieuwe wegen en rigoureuze ruilverkaveling leidden gezamenlijk tot de vernietiging van het Nederlandse platteland.

Niet alleen in de sfeer van ruimtelijke ordening, ook meer in het algemeen werd in de jaren zestig de kiem gelegd voor problemen met het leefmilieu. Zowel de omvang van de industrialisatie als de aard ervan (chemische produkten!) schiepen ecologische problemen, die nauwelijks beheersbaar zouden blijken te zijn. De gifbelten, de zure regen, het mestoverschot, de bevissingsquota, de melkheffing en de drieweg-geregelde katalysator: het zijn allemaal begrippen uit de jaren zeventig en tachtig. Maar de termen verwijzen naar problemen die in de loop van voorgaande decennia gecreëerd waren maar toen nog niet zo acuut gevoeld werden.

Niet dat in de jaren zestig geen sprake was van een groeiend milieubewustzijn. Dat was er wel, zoals we nog zullen zien, maar het was ideëel getint. De strijd voor een beter milieu werd opgevat als een ideologische twist over vormen van slechter en van beter leven. De ideeën over het laatste waren in hoge mate gestoeld op een neoromantische verheerlijking van de natuur.

Dat de natuur gezuiverd kon worden van vreemde industriële smetten, zonder dat het levenspeil daarvoor drastisch verlaagd zou hoeven te worden, daarvan was men algemeen overtuigd. Vóór de Club van Rome en de oliecrisis van 1973 meer pessimistische geluiden zouden genereren, werd de milieukwestie

gezien als technisch oplosbaar. Het was een kwestie van politie-ke wil, meende men, en met de verbeelding aan de macht was niets onmogelijk.

Overvloed zonder onbehagen

Die laatste houding van optimisme en zelfvertrouwen was ken-merkend voor de jaren zestig. Zoals we hebben gezien, waren de demografische, economische en sociale trends te karakterise-ren als een voortzetting en uitbreiding van die uit de jaren vijf-tig. Het grote verschil was niet zozeer direct materieel, alswel psychologisch. Wasmachines, bromfietsen, auto's en televisies waren er in de jaren vijftig ook al geweest. Deze duurzame con-sumptiegoederen werden in de loop van de jaren zestig onge-twijfeld makkelijker bereikbaar voor grotere groepen mensen. Maar het opvallendst was eigenlijk de acceptatie van economi-sche groei, van toenemende welvaart en van blijvende deelname aan een prettig consumentisme. Men begon nu pas echt te gelo-ven dat het in de wereld goed geregeld was.

De reclame-afdeling van de KLM in vol bedrijf. De toegenomen welvaart, gecombineerd met een groeiend aantal vrije dagen, stelde Nederlanders in staat vaker en verder op vakan-tie te gaan.

Buiten de deur eten was aan het begin van de jaren zestig nog bijzonder. In 1960 verklaarden zeventien van de twintig onder-vraagde Nederlanders dat zij zelden of nooit buitens-huis aten. De keuze was beperkt: goedkoop Chinees, huiselijk Hollands of deftig Frans. In restaurant Bella Vista in Zeist kon men fonduen.

De verworvenheden van de welvaartsstaat en van het moderne kapitalisme werden langzamerhand als normaal geaccepteerd. Men durfde er – anders dan in de jaren vijftig – onbekommerd van te genieten. Overheersten toen nog de sfeer van voorzichtig optimisme en een gevoel van onzekerheid over de economische toekomst op langere termijn, in de jaren zestig raakte men ervan overtuigd dat de welvaart niet meer zou verdwijnen. Integendeel, men meende het economisch proces onder controle te hebben en zodoende de groei tot in de eeuwigheid te kunnen garanderen. Daarom durfde men er ook onbekommerd van te genieten. Voor velen waren luxe-produkten en -diensten nieuw en het besef dat ze niet meer afgestaan zouden hoeven te wor-den, was aantrekkelijk. Men kon nu consumeren zonder reser-ves aan te houden; men kon kopen zonder te hoeven sparen.

Deze mentaliteit lijkt uniek in de Nederlandse geschiedenis. Het oude beeld van Nederland als hardwerkende en spaarzame natie door de eeuwen heen is door recent historisch onderzoek sterk genuanceerd. Waarschijnlijk zijn wij toch vooral een volk van slempers en plempers geweest, maar dan wel altijd met een ele-ment van onbehagen over onze overvloed. Het calvinistische levensgevoel stond als het ware onbekommerd genieten in de weg. Alleen maar genieten zonder hoger doel was God onwelge-vallig en met name het bijbelse idee dat vette jaren onherroepe-lijk afgewisseld zouden worden met magere jaren werkte tempe-rend op de genietingen.

Nu leek er echter geen reden meer voor onbehagen. Veel Nederlanders besloten onbekommerd, ja zelfs ongegeneerd van de nieuwe hoorn des overvloeds te gaan genieten. Dat wilde ook weer niet zeggen dat het calvinisme geheel verdween. Het opko-mende moralisme ten opzichte van de armoede in de Derde Wereld duidde op een schuldgevoel over de ongebreidelde con-sumptiedrift, evenals de nog te behandelen cultuurkritiek, die in de tweede helft van het decennium hoorbaar werd.

Nederland werd dus, in de termen van de bekende fabel van La Fontaine, niet direct een samenleving van onbezorgde krekels, die alleen maar feestvierden in tegenstelling tot de ijverige,

98

plichtsgetrouwe mieren uit vroeger tijden. Niettemin overheerste een vertrouwen in eigen kracht, dat wijdverbreid was en berustte op het idee dat de samenleving maakbaar was.

De opvatting dat de maatschappelijke problemen beheersbaar en oplosbaar waren, was geen oorspronkelijk Nederlands gedachtengoed. In haar meest invloedrijke vorm was deze zogenaamde 'maakbaarheidsgedachte' geformuleerd door een aantal Amerikaanse economen en sociologen. Hun opvatting was dat de oude, negentiende-eeuwse ideologieën en problemen na 1945 dood waren. Het liberalisme, het socialisme en het nationalisme hadden hun tijd gehad, omdat de problemen waaraan ze hun ontstaan te danken hadden ook verleden tijd waren geworden: armoede, klassenstrijd en onvrijheid bestonden niet meer. Dat was al langer zichtbaar in de Verenigde Staten en die toestand zou binnenkort ook bereikt worden in andere delen van de wereld, te beginnen met West-Europa. Aan de strijdkreten van de oude ideologieën was geen behoefte meer. Vandaar dat

Op 21 juli 1969 zette Neil Armstrong als eerste voet op de maan. Deze buitengewone prestatie versterkte het idee dat met wat goede wil de mens elk probleem kon oplossen.

gesproken werd van the *end of ideology*, van een pragmatisch, onideologisch tijdperk.

De groei van welvaart en bestaanszekerheid had de sociale conflicten van hun scherpte ontdaan. Dat nam niet weg dat er natuurlijk sociale en culturele problemen overbleven. Ze waren echter zeer wel oplosbaar, mits ze voorzichtig aangepakt werden. De sociaal-politieke problemen dienden pragmatisch en stapje voor stapje opgelost te worden. Het instrument voor zo'n onideologische aanpak van de politiek was in de nieuwe welvaarts- en verzorgingsstaat ook aanwezig: het was de moderne overheid met haar ambtenarenapparaat.

Deze theorie dat het tijdperk van de ideologieën was afgesloten kwam wonderwel overeen met de in Nederland gegroeide praktijk van politieke crisisbeheersing. De boodschap van het einde van de ideologie kan niet voor niets adequaat vertolkt worden met het Nederlandse gezegde 'doe maar gewoon, dan doe je gek genoeg.' Rustige onderhandelingen tussen politiek-ambachtelijk geverseerde professionals waren immers al sinds jaar en dag een beproefd vaderlands middel om conflicten te beheersen.

Op het eerste gezicht lijkt deze constatering misschien wat vreemd, omdat de organisatiegrondslag van de zuilen in principe sterk ideologisch gekleurd was. Het bestaansrecht ervan was een (al of niet geseculariseerd) geloof: het katholicisme, verschillende vormen van protestantisme en het socialisme. Om de verschillende bevolkingsgroepen, die zich politiek en maatschappelijk in zuilen georganiseerd hadden, aan gemeenschappelijke regelingen te binden was het sluiten van pragmatische, onideologische compromissen echter noodzakelijk. Die politieke techniek is bekend geworden onder de term 'pacificatiedemocratie'.

De consensusmachine die de belangenconflicten van deze verzuilde groeperingen om moest zetten in werkbare compromissen werkte wellicht het beste in de jaren vijftig. Op sociaal-economisch terrein moet gedacht worden aan de eerder genoemde Sociaal Economische Raad en aan de Stichting van de Arbeid, waarbinnen op grond van zogenaamd technische berekeningen van het Centraal Plan Bureau vastgesteld werd wat de marges van de loononderhandelingen waren.

Die onderhandelingsmachinerie bleef in de jaren zestig functioneren. Voorlopig bleef Nederland een land van arbeidsrust en lage lonen. Wel werd de geleide loonpolitiek aan het eind van de jaren vijftig losgelaten. Daarmee werd echter het harmoniemodel niet echt verlaten. Alleen de onderhandelingen werden openlijker gevoerd. Ook in 1959 trachtte men een technisch principe in te voeren ter vaststelling van de loonhoogte: deze werd gekoppeld aan de produktiviteitsstijging.

Zelfs bij de loonexplosie van 1964 werd nog gedaan alsof het niet om naakte economische machtsverhoudingen ging, maar om een algemeen principe van menselijke rechtvaardigheid. (Toch nog een erfenis van calvinistisch onbehagen over de bereikte overvloed?) De lonen werden nu voorzien van een automatische prijscompensatie. Dat leek heel rechtvaardig, maar was economisch een uitnodiging tot prijsverhogingen, die immers vanzelf weer gecompenseerd werden door loonsverhogingen. Dat mechanisme leidde in de tweede helft van de jaren zestig tot een loon-prijsspiraal, die ervoor zorgde dat Nederland geen goedkoopte-eiland meer was in West-Europa: niet qua prijzen en niet qua lonen. De loonstijging ging in deze periode voor het eerst na de oorlog die van de arbeidsproduktiviteit te boven.

Naar de complete verzorgingsstaat

Zo leek Nederland in zijn maatschappelijke ontwikkeling en politieke gedrag het ideaal van de moderne, pragmatische democratie in hoge mate te benaderen. Sociologen spraken van de opmars van het zogenaamde modern dynamische cultuurpatroon, dat inhield dat mensen steeds meer op grond van rationele motieven hun eigen beslissingen namen. Dat bleek onder andere uit de daling van het kindertal: ook in dat opzicht werd Nederland een 'gewoon' modern land. De economische problemen leken opgelost, duurzame groei leek gegarandeerd, toene-

mende welvaart voor praktisch de gehele bevolking was binnen handbereik.

Overblijvende problemen waren sociaal en cultureel van aard en zouden opgelost kunnen worden door een verstandige hervormingspolitiek van kleine stapjes. Over de richting waarin die stappen gezet moesten worden, bestond ook politieke consensus. De verdere optuiging van de verzorgingsstaat vond in grote eensgezindheid plaats.

De genoemde tendenties in het sociaal-culturele denken en handelen vielen het duidelijkst terug te vinden in de Partij van de Arbeid. Dat was niet verwonderlijk, want de sociaal-democraten waren vanouds de meest enthousiaste dragers van het idee van een maakbare samenleving geweest. Sociale planning op rationele basis, uitgevoerd door een politiek gecontroleerde overheid vormde zowel het credo als het bestaansrecht van de sociaal-democratie.

Daarom is het interessant te zien, hoe de PvdA op de veranderende verzorgingsstaat reageerde. Het partijprogramma *De Weg naar Vrijheid* uit 1952 had nog vol gestaan met voornemens het

102

economische en sociale leven strak te plannen en te reguleren. Die regulering werd destijds gerechtvaardigd vanuit het idee van materiële schaarste. Produktie en distributie van goederen moesten scherper gepland worden om een rechtvaardige verdeling mogelijk te maken.

In het programma dat de PvdA in 1963 het licht liet zien, *Om de Kwaliteit van het Bestaan*, waaide een andere wind. Hierin werd bepaald niet meer uitgegaan van de noodzaak schaarste te verdelen. De PvdA wierp zich op als verdedigster van een 'planmatige welvaartsontwikkeling'. Het instrument voor rechtvaardigheid werd een overheid die nivellerend optrad door middel van inkomenssubsidies en die de toegang tot essentiële voorzieningen voor alle burgers garandeerde. Deze opstelling zou later nog terug te vinden zijn in de politieke doelstelling van het kabinet-Den Uyl uit 1973: 'spreiding van inkomen, macht en kennis'. Het achterliggende idee was dat niemand iets zou hoeven in te leveren. Velen zouden er in macht, inkomen en kennis op vooruit gaan, sommigen zouden gelijk blijven. Door het schijnbaar vaststaande gegeven van economische groei hoefde alleen het surplus maar eerlijk verdeeld te worden. Het idee was om naar boven te nivelleren.

Zoals te verwachten viel waren dus vooral de sociaal-democraten voorstanders van uitbreiding van de verzorgingsstaat. Opvallend was echter dat de uitvoering ervan con amore ter hand werd genomen door regeringen van liberaal-confessionele snit. Ook deze ontwikkeling kan gezien worden als een voortzetting op grotere schaal van die uit de jaren vijftig. Voorzieningen als de Ziektewet en de AOW bestonden uiteraard al. Maar hun werking werd uitgebreid, de uitkeringen werden verruimd en nieuwe voorzieningen werden eraan toegevoegd. Dit gebeurde in een min of meer zelfstandig ritme, onafhankelijk van politieke machtswisselingen. De uitbreiding van de Ziektewet in 1967, de wijziging van de Kinderbijslagwet in 1963, De Wet op de Arbeidsongeschiktheid in 1967, de Verplichte Ziekenfondsverzekering van 1964 en de Algemene Wet Bijzondere Ziektekosten uit 1967: ze werden in eensgezindheid voorbereid en ingevoerd zowel door confessioneel-liberale kabinetten, als door het enige 'rooms-rode' kabinet uit deze periode, dat van Cals en Vondeling.

Sluitstuk van en kroon op de uitbreiding van de verzorgingsstaat mag wel de Algemene Bijstandswet van 1965 genoemd worden. Door deze wet werd iedere Nederlander een bestaansminimum gegarandeerd onafhankelijk van enige particuliere, verzuilde vorm van liefdadigheid. De bekendste politici die voor deze wetgeving verantwoordelijk waren, stamden uit de KVP: de minister van sociale zaken G.M.J. Veldkamp en de minister van maatschappelijk werk, Marga Klompé. Deze omstandigheid is illustratief voor twee zaken: enerzijds de blijvende invloed van verzuilde, confessionele politieke groeperingen en anderzijds de inhoudelijke ontzuiling en rationalisering van de sociaal-politieke maatregelen. Want het gevolg van de uitbreiding van de verzorgingsstaat was wat de journalist H.J.A. Hofland later heeft betiteld als de dekolonisatie van de burger. Individuen werden materieel onafhankelijk van hun verzuilde achtergrond.

Van 'maatschappelijk werk' naar 'cultuur en recreatie'

Deze dekolonisatie van de burgers werd in de loop van de jaren zestig ook merkbaar in het door het ministerie van maatschappelijk werk, het welzijnsdepartement bij uitstek, gevoerde beleid. De wat krampachtige en defensieve houding ten opzichte van sociale verschuivingen werd verlaten. Men ging de veranderende gezins-, leef- en werkpatronen nu positief waarderen als 'modern'. Een en ander moest nog wel in goede banen geleid worden, maar de ergste betutteling verdween uit de plannen van het ministerie.

Het sociale beleid werd, in overeenstemming met het idee van het einde van de ideologie, steed meer gepresenteerd als technisch-neutraal, in plaats van als normatief. Op economisch gebied was men eraan gewend geraakt dat winst- en verliescijfers, exportstatistieken en investeringsquotes zich niet verzuild

gedroegen. Zelfs de in principe wel politiek beladen loononderhandelingen werden immers zoveel mogelijk 'vertechniseerd'.
Datzelfde stelden zich nu de beleidssociologen ten doel op hun
werkterrein, dat van de sociale planning van de maatschappij.

Daarbij stuitten ze op aanzienlijke weerstand. Het politieke
krachtenveld was nog in hoge mate verzuild en dat betekende
dat de inhoud van gezinszorg, gezondheidszorg, maatschappelijk werk en dergelijke activiteiten bepaald bleef worden door
verzuilde organisaties, die hun bestaansrecht vonden in het
behoudende   gedachtengoed   van   voorgaande   decennia.
Weliswaar vonden de beleidsmakers bondgenoten in de professionals die het uitvoerend werk deden, maar de confessionele
machtsposities bleven aan de top van de welzijnsorganisaties in
stand. Ze hadden een belangrijke invloed op het politieke circuit, dat uiteindelijk weer de grenzen stelde aan het proces van
organisatorisch-financiële ontzuiling.

Dit beeld, van een bevolking die steeds meer los kwam te staan
van het oude normen- en waardenpatroon van de verzuiling,
van professionele, hooggeschoolde welzijnswerkers die zich tot
de moderne normen bekenden, met daarnaast en daarboven een
conserverend politiek circuit van verzuilde besturen en partijen
was niet alleen typerend voor de sector van het maatschappelijk
werk. Ook op het gebied van de gezondheidszorg, van het
onderwijs en de media bestond hetzelfde patroon. De bevolking
had steeds minder boodschap aan de verzuilde structuur, de
professionals in de organisaties ervoeren de verzuiling ook als
knellend, maar de politieke en bestuurlijke zeggenschap bleef in
handen van verzuilde kringen.

Voorlopig werden de conflicten gesust door de politieke techniek van repressieve tolerantie. Men liet de professionals begaan
door hen binnen de organisaties voldoende speelruimte te gun-
nen. Dat was mogelijk doordat de meeste uitvoerende organisaties op sociaal gebied in deze tijd explosief groeiden. Dat was de
kracht van de periode-Klompé en -Veldkamp. Zij bleven katholiek en vanuit dat verzuilde perspectief, bij Klompé ook duidelijk inhoudelijk gemotiveerd, kregen de professionals ruimte om

hun nieuwe inzichten en technieken te demonstreren. Zo werd de kloof tussen politiek-confessionele legitimatie en geseculariseerde praktijk van de verzorgingsstaat een tijd lang overbrugd. Uiteindelijk zou dat niet lukken, daarvoor waren de verwachtingen te hoog gespannen. Na de fase van de leniging van materiële noden was nu, zo meende men, het tijdperk van de volledige sociale en culturele ontplooiing aangebroken. Tekenend was in dezen de naamsverandering van het ministerie van maatschappelijk werk in 1965. Het werkterrein werd uitgebreid, want het nieuwe ministerie zou zich immers gaan bezighouden met cultuur, recreatie en maatschappelijk werk. Deze naamsverandering gaf te kennen dat het ministerie zich met meer aspecten van het dagelijks leven van de burgers wenste te gaan bezighouden. De welvaartsstaat had de maatschappelijke nood grotendeels weggenomen, nu was er binnen de verzorgingsstaat ruimte voor de 'lichtere' aspecten van het leven. De opvatting dat die ook gereguleerd en door professionals begeleid zouden moeten wor-

Voor Rome gingen de veranderingen in de jaren zestig veel te snel. Daarom werd in 1970 de conservatieve A.J. Simonis tot bisschop van Rotterdam benoemd, hier in gezelschap van de enige jaren later benoemde bisschop Gijsen.

Op 23 januari 1993 trad de meest omstreden bisschop van Nederland, dr. J. Gijsen, terug uit zijn ambt. Ondanks het feit dat de bisschop als zeer conservatief te boek stond en zijn leer van bovenaf oplegde, leidde zijn afscheid niet tot gejubel van zijn tegenstanders. In zijn afscheidsbrief vroeg de bisschop 'nederig vergeving' voor alle besluiten en uitspraken die irritatie hadden gewekt. Hij hoopte dat er voortaan geen 'Gijsianen' meer zouden zijn maar alleen nog 'dienaren van die ene Christus', zodat de eenheid binnen het bisdom na zijn afscheid hersteld zou worden.

den, is een manifestatie van wat wel de 'sociologische verleiding' wordt genoemd: het idee dat het mogelijk en wenselijk is om de mensen op verantwoorde wijze 'gelukkig' te maken.

Dit geloof in sociale bouwkunde laat zich goed illustreren aan het in de jaren zestig gevoerde debat over de onderwijspolitiek. Het onderwijsbeleid in deze jaren valt meritocratisch te noemen. De schoolcarrière moest bepaald worden door de individuele begaafdheid van leerlingen: verdiensten moesten beloond worden. Op deze wijze zou zowel de sociale rechtvaardigheid als de maatschappelijke doelmatigheid gediend worden. De sociale klimkansen werden eerlijker verdeeld en de samenleving kreeg een kwalitatief beter kader. Door een stelselmatige talentenjacht, zoals de socioloog en sociaal-democraat F. van Heek het noemde, konden maatschappelijke verspilling en individuele, persoonlijke frustraties tegen worden gegaan.

Deze opvatting over de beloning van vlijt, ijver, prestaties en over het belang van het aankweken van een intellectueel, professioneel beroepsethos waren in brede kring populair. Op dit punt bestond een politieke en maatschappelijke consensus die zich uitstrekte tot sociaal-democraten, liberalen en confessionelen. Dat kan ook blijken uit het feit dat de grote structurele onderwijsvernieuwing uit de jaren zestig, de zogenaamde

De Mammoetwet werd in 1962–'63 goedgekeurd. Daarmee werd het laatste gat in de dam van de regeringspolitiek gedicht.

Mammoetwet, bedacht was door de katholieke minister van onderwijs Cals. Deze wet, waarin voorzien werd in een min of meer gemeenschappelijk 'brugjaar' voor alle leerlingen van het voortgezet onderwijs ter 'objectieve' bepaling van ieders individuele capaciteiten, werd in 1962–'63 in het parlement goedgekeurd en vanaf 1968 ingevoerd.

Tegen die tijd was, met name maar niet uitsluitend binnen de PvdA, kritiek gerezen tegen het meritocratische, in wezen modern-liberale idee van gelijke startkansen voor alle leerlingen. Velen achtten dit te vrijblijvend, men wilde meer met het onderwijs bereiken. Via het onderwijs moest een 'nieuwe mens' gekweekt worden en zodoende uiteindelijk ook een nieuwe samenleving tot stand gebracht worden. De kritiek op de Mammoetwet hield in dat deze veel te sterk aansloot bij de bestaande schoolpraktijk, die weer gezien werd als een afspiegeling van de bestaande, onrechtvaardige maatschappij.

Daarom vonden velen de school nu te rol- en maatschappijbevestigend. De kinderen moesten, zo heette het, niet geschikt gemaakt worden voor de school, maar de school moest zich aanpassen aan de mogelijkheden van de kinderen. En op grotere schaal gold hetzelfde. De school mocht geen instituut zijn, waarbinnen kinderen voorbereid werden op hun plaats en rol in de bestaande maatschappij, maar de school diende hen kritisch te maken ten opzichte van die, nu vaak weer als 'kapitalistisch' aangeduide maatschappij. Met name moest het traditionele, intellectualistische ideaal van cognitieve scholing op de helling. Kinderen moesten leren zich creatief te ontplooien op andere, emotionele en artistieke terreinen. Deze opvattingen kregen gestalte in de zogenaamde Middenschoolgedachte.

Dit nieuwe 'denkraam', waarbinnen visies op maatschappelijke problemen en oplossingen zich bewogen, bleef niet beperkt tot de kringen van wetenschappers en beleidsmakers. Het is duidelijk dat na het 'economische' en het 'sociologische' nu het 'psychologische' wereldbeeld, met al zijn beloftes, tot grote groepen van de bevolking was doorgedrongen. Dat blijkt uit de definities van maatschappelijke problemen in enquêtes, uit de taal van advertenties, uit de opkomst van het psychotherapeutisch bedrijf en uit het spraakgebruik van journalisten. Ook de politiek zou in de tweede helft van de jaren zestig duidelijk onderhevig blijken aan deze culturele klimaatsverandering.

De beweging van '66

Het jaartal '1966' roept voor de recente Nederlandse geschiedenis het klassieke beeld op van de mythische jaren zestig als revolutionaire en hemelbestormende periode. In 1966 werd een nieuwe, aanvankelijk succesvolle politieke partij opgericht, de Democraten '66, die expliciet de oorlog verklaarde aan het verzuilde politieke systeem. Men wilde, onder de mediagenieke leiding van de jonge journalist Hans (voornaam!) van Mierlo, de bestaande partijstructuur laten ontploffen. 1966 was ook het jaar waarin binnen de PvdA een jongere generatie, die zichzelf als nieuw-links afficheerde, zich organiseerde op het manifest en rond de actiegroep Tien over Rood. Spectaculairder was het optreden in de jaren direct daarvoor van de provo's, min of meer anarchistisch georiënteerde jongeren, die een geheel eigen stijl van gezagsondermijning ontwikkelden. In 1966 vond in Amsterdam op 10 maart 'Het Huwelijk' tussen troonopvolgster Beatrix en haar prins-gemaal Claus von Amsberg plaats. Inspelend op de in Nederland altijd wel aanwezige anti-Duitse sentimenten voerden republikeinse en anarchistische jongeren rond deze plechtigheid een zenuwoorlog, waarop de hulpeloze autoriteiten veel te sterk reageerden. In juni echter vond een heus volksoproer-in-zakformaat plaats toen stakende bouwvakkers even het centrum van Amsterdam overnamen en onder andere het gebouw van *De Telegraaf* bestormden.

Bij de Tweede-Kamerverkiezingen van 15 februari 1967 won D'66 zeven zetels.

Revolutie? Die interpretatie van de gebeurtenissen zou overdreven zijn. De stakende bouwvakkers belegerden het Telegraafgebouw niet vanuit een revolutionaire afkeer tegen de kapitalistische pers als handlanger van het grootkapitaal. Hun verontwaardiging was incidenteel en zowel vóór als na de junidagen

110

van 1966 waren ze trouwe lezers van deze grootste krant van Nederland. Dat gold zelfs voor veel PvdA- en CPN-stemmers.

De republikeinse agitatie rond het huwelijk mondde uit in één rookbom, waarvan de snel verwaaiende flarden eventjes zichtbaar waren op de televisieregistratie van de ceremonie, die verder zo sprookjesachtig mogelijk in beeld werd gebracht.

D'66-voorman Van Mierlo zou in 1991, *sadder, wiser and older*, nog steeds bespiegelingen houden over de wenselijkheid van een nieuwe politieke stijl in Nederland. Nieuw-linksers als André van der Louw, Marcel van Dam en Wim Meijer - in 1967 en 1969 zo succesvol dat ze de PvdA geheel naar hun opvattingen konden modelleren - deden in de loop van de jaren tachtig verwoede pogingen om onder hun eigen verleden uit te komen.

Deze afloop, voor zover ze overigens definitief vaststaat, was rond 1966 uiteraard moeilijk te voorzien. De opwinding was

In zijn verklaring bij hun verloving zei prins Claus: 'Ik ben mij welbewust van uw gevoelens en de moeilijkheden die hier voor velen van u aan verbonden zijn na wat in het recente verleden gebeurd is. Ik begrijp en respecteer dit. Maar ik zal mijn best doen en proberen uw vertrouwen te gewinnen.'

111

groot, de gemoederen liepen bij tijd en wijle hoog op. De verwachtingen van sommigen en de angsten van anderen waren hoog gespannen. In feite was er echter niet sprake van één vernieuwingsbeweging. Er zijn in de tweede helft van de jaren zestig twee tendenties aanwijsbaar.

De ene tendens kan beschouwd worden als een uiterste consequentie van het traditionele vooruitgangsdenken van de professionele verdedigers, beheerders en uitvoerders van de verzorgingsstaat. Nu de economie en de publieke, sociale voorzieningen geregeld leken te zijn, nam men het op zich om vervolgens ook de emotionele en psychische volkshuishouding van de Nederlanders op orde te brengen. Men kan hier spreken van overmoedigheid van de politiek, van een dolgedraaid vertrouwen in de maakbaarheid van het menselijk bestaan. Aan oude verzuilde kaders had men noch intellectueel, noch emotioneel, noch organisatorisch enige behoefte.

De tweede tendentie kan getypeerd worden als een fundamentele cultuurkritiek. De aanhangers van deze maatschappijkritische opvatting grepen terug op oude ideologieën als het marxisme en het anarchisme. Zij keerden zich in wezen tegen de moderne verzorgingsstaat die door de eerste stroming verdedigd werd.

Rationele vernieuwing in politiek en cultuur

De eerste tendens, waarvan de uitingsvormen en uitwerkingen in de voorafgaande pagina's beschreven zijn, was verreweg de belangrijkste. Zij bewoog zich in wezen ook binnen de bestaande brede consensus over rationele politiek en een fatsoenlijke verzorgingsstaat. Nieuw was dat meer en openlijker aangedrongen werd op secularisering en liberalisering. In feite hadden deze processen in het maatschappelijk leven al in hoge mate hun beslag gekregen. Alleen de cultuur en delen van de politiek (of, preciezer, van de bestuurscultuur) waren nog niet meeveranderd. Nu werd ook op die terreinen de culturele rekening van de modernisering gepresenteerd. Dat de psychologische aanvaarding en verwerking van de modernisering later kwam dan de materiële, sociaal-economische is op zich niet verwonderlijk. In de sociologie en de antropologie spreekt men dan van *cultural lag*: het na-ijlen van de belevingswereld als reactie op de reële veranderingen.

Onder deze rationele vernieuwing valt duidelijk de opkomst van D'66 te plaatsen. Deze 'vrijzinnig democraten' waren radicaal in hun democratische opvattingen, maar niet anti-liberaal of anti-kapitalistisch. Een deel van de nieuwe strijdvaardigheid binnen de PvdA valt eveneens onder deze, ons inmiddels vertrouwde modernisering, net als de vrouwenbeweging, voor zover zij eisen stelde op het vlak van de gelijkberechtiging. De studentenbeweging liep in de fase van de Studenten Vak Beweging met haar 'burgerlijke' eisen en idealen van studieloon en studentenhuwelijk evenmin uit de pas.

Het zou een misverstand zijn te denken dat de door dit soort groeperingen gedragen impuls tot ontzuiling en ontvoogding gezapig was. De gevestigde autoriteiten werden er wel degelijk door in het defensief gedrongen. Ze moesten vele stellingen ontruimen en konden sommige bolwerken slechts met moeite behouden.

Een duidelijk voorbeeld is de omroepkwestie, waar één kabinet op sneuvelde. Na de betrekkelijke culturele rust onder het kabinet-De Quay kreeg zijn opvolger, minister-president Marijnen, te maken met een aanval op het verzuilde omroepbestel. Technisch gesproken ging het om de vraag of reclame in de ether toelaatbaar was. In wezen was het omroepmonopolie van de gevestigde, verzuilde 'zendgemachtigden' in het geding.

Een nieuwe, commerciële organisatie zonder verzuilde achterban werd uitzending onmogelijk gemaakt. Het zogenaamde REM-eiland, een afgedankt, tot televisiestation omgebouwd booreiland werd door justitie, ondersteund door de Koninklijke Marine, het zwijgen opgelegd. Hetzelfde gebeurde een aantal jaren later met de populaire radiozender Veronica, die vanaf een schip buiten de territoriale wateren opereerde. In beide gevallen beschermde de politiek als geheel de verzuilde omroepbelangen.

Nieuwe zendgemachtigden, de Tros en later ook de VOO, werden alleen op de condities van het bestaande bestel toegelaten.

Makkelijk ging het niet meer. De eerstgenoemde kwestie leidde tot de val van het kabinet-Marijnen omdat de liberalen op dit punt de confessionele belangen niet wilden ontzien. Pas na een partnerwisseling, geëffectueerd in het kabinet-Cals-Vondeling van confessionelen met de PvdA, kon het omroepbestel gered worden.

Inhoudelijk was het overigens een Pyrrus-overwinning. Binnen de verzuilde omroeporganisaties namen steeds meer de eigenzinnige professionals het heft in handen, met programma's die veel verzuild ongenoegen opwekten. Bekend is het satirische programma *Zo is het toevallig ook nog 'ns een keer* (Vara 1963-1966) dat tegen veel heilige huisjes aanschopte. Maar ook actualiteitenrubrieken als *Brandpunt* (KRO) en *Achter het Nieuws* (Vara) legden hun autoriteitenvrees steeds meer af. Zelfs in een als 'lief' bedoeld programma als *Mies-en-scène* kon men zien hoe door presentatrice Mies Bouwman het gezag in de persoon van de hulpeloze burgemeester van Amsterdam, mr. G.van Hall, genadeloos werd afgedroogd. De VPRO bracht, rond kinderbedtijd, in 1967 voor het eerst op de Nederlandse televisie vrouwelijk bloot op het scherm in het programma *Hoepla*, op een overigens volstrekt onerotische, welhaast calvinistische manier.

Ondanks politieke en bestuurlijke druk in die richting lukte het niet om dit soort uitingen van een nieuw levensgevoel de kop in te drukken. Gedeeltelijk kwam dat doordat de machthebbers al snel leerden dat repressieve tolerantie als beheerstechniek beter werkte dan regelrechte repressie. Deels ook dekten de omroepbazen hun professionele kader, omdat ze zelf aan het ontzuilen waren. Ten slotte stelden zich vanuit de zuilen in deze periode ook autoriteiten aan de zijde van de vernieuwers op. Beroemd is het optreden in 1963 van de bisschop van Den Bosch, mgr. W.M. Bekkers, die in vol geestelijk ornaat in een *Brandpunt*-uitzending verklaarde dat gezinsgrootte en geboortenregeling een persoonlijke kwestie vormden, waarin iedere gelovige zijn individuele geweten mocht volgen. Dit kon gezien worden als op z'n

114

Bisschop W. Bekkers van Den Bosch kwam in de jaren zestig op voor de vernieuwing in de kerk. In het KRO-programma Brandpunt gaf hij zijn mening over actuele kwesties en zorgde hij voor tumult door geboortenregeling een gewetenszaak te noemen waarin alleen gehuwden mochten treden.

minst indirecte steun in de rug voor organisaties als de NVSH, die rond deze tijd de anticonceptiepil op ruimere schaal begonnen te verspreiden. Vergelijkbare onderwerpen als abortus provocatus en de acceptatie van homofilie werden ook onder dekking van onverdachte deskundigen (in Nederland waren dat naast artsen en psychiaters toch nog steeds ook pastoors en dominees) bespreekbaar gemaakt.

Een illustratie van enerzijds deze attitude bij een deel van de verzuilde elites en van anderzijds de gevolgde journalistieke tactiek vormt de kus van mevrouw Klompé. In 1969 liet zij zich als

Met de seksuele emancipatie groeide de NVSH in de jaren zestig.

minister van cultuur bij de uitreiking van de P.C. Hooftprijs kussen door de openlijk homoseksuele auteur G.K. van het Reve, die het jaar daarvoor nog verwikkeld was geweest in een proces wegens godslastering. De huldiging van de 'volksschrijver', in de Amsterdamse Vondelkerk (!), werd uitgebreid op de televisie in beeld gebracht.

Wat op soms spectaculaire wijze bevochten moest worden bij het politiek en psychologisch meest gevoelige medium, was in de schrijvende pers – ook door een andere juridische structuur – geleidelijker en ongemerkter gebeurd. Professionals, journalisten en redacteuren, hadden veel dag- en weekbladen inhoudelijk in hoge mate ontzuild. Niet langer verkondigde *De Volkskrant* klakkeloos de katholieke gevestigde opinie of verwoordde *De Nieuwe Rotterdamse Courant* automatisch het standpunt van de deftige burgerij.

Radicale cultuurkritiek

Dat er naast deze rationele trend naar vernieuwing, modernisering en ontzuiling ook een anders getinte vernieuwingsbeweging actief was, werd zichtbaar bij de val van het kabinet-Cals-Vondeling in 1966. De coalitiepartners, met name de PvdA en de KVP, raakten slaags over het financieel-economisch regeringsbeleid. Het zogenaamde 'gat van Vondeling' (de PvdA-minister van financiën) symboliseerde voor de KVP de lichtzinnigheid van de sociaal-democraten op het punt van de begrotingsdiscipline. De PvdA vermoedde op haar beurt achter deze bezwaren een dieperliggend complot. De KVP zou zich, zo meenden velen, willen onttrekken aan haar morele opdracht, het voeren van een progressief regeringsbeleid in samenwerking met de PvdA.

De 'nacht van Schmelzer', waarin het kabinet viel over een motie die ingediend was door de fractievoorzitter van de KVP, sloeg diepe emotionele wonden. Velen in de PvdA geloofden niet in een zakelijk conflict. Schmelzer had volgens hen zijn coalitiegenoot willens en wetens een dolk in de rug gestoken.

116

Schmelzer, die het kabinet-Cals ten val bracht, was volgens de cabaretier Wim Kan het symbool van de katholieke onbetrouw-baarheid. Hij vergeleek hem met een gladde tekkel met een vette kluif in z'n bek.

Het was in de woorden van de teleurgestelde Vondeling 'moord met voorbedachten rade' geweest. De 'nacht van Schmelzer' werd voor progressief Nederland tot symbool van de onbetrouwbaarheid van de confessionelen. De typering die de cabaretier Wim Kan van Schmelzer gaf, die van 'een gladde tekkel met een vette kluif in zijn bek', werd van toepassing verklaard op het hele verzuilde establishment.

De verontwaardiging was niet meer zakelijk te noemen, ze was

117

In 1971 baarde de PSP met dit verkiezingsaffiche toch nog wel enig opzien.

Blz. 119:

Het monument op de Dam, een van de trefpunten van de nieuwe generatie.

moralistisch van aard. De KVP had haar plicht verzaakt omdat ze de PvdA (lees: 'Links', de 'Toekomst', de 'Rechtvaardigheid') van haar morele recht op maatschappijhervormingen beroofd had. Dit moralisme in de politiek werd gevoed door een ander sentiment dan dat van de hiervoor bescheven rationele ontzuilers. Politiek mocht in de visie van deze radicale maatschappijhervormers geen afweging van zakelijke belangen zijn, het was niet de kunst van het sluiten van verstandige compromissen. Integendeel, de politiek werd weer in ideologische termen gezien, in die van goed en kwaad. Ironisch genoeg werd de oude verzuilde politiek met haar eigen wapens bestreden. Een nieuwe herzuiling vond plaats.

De achtergrond daarvan was tweeërlei. Enerzijds was dit de wraak van een nieuwe generatie, die de saaiheid van de compromissenpolitiek niet uitdagend genoeg vond. Anderzijds traden er binnen de zuilen (confessioneel én socialistisch) meer 'traditionele' radicalen naar voren die de in hun ogen door de zittende politici sterk verwaterde ideologische opdracht van hun eigen stromingen ernstig namen.

Binnen KVP en ARP deden 'christen-radicalen' van zich horen, die probeerden hun partijen een progressieve politiek te laten voeren. Toen dat mislukte, richtten zij in 1968 een eigen partij op, de Politieke Partij Radicalen.

De sociaal-democraten hadden al vanaf 1958 te kampen met een socialistisch geweten in de vorm van de Pacifistisch Socialistische Partij, een splinterpartij die in de loop van de jaren zestig begon te groeien. Binnen de PvdA trad nieuw links op, gedeeltelijk op te vatten als een generatiewisseling, gedeeltelijk ook als een beweging tot herideologisering van de partij door reactivering van het socialistische gedachtengoed.

De actiegroepen voor vrouwenemancipatie vielen, voor zover ze gelijke rechten opeisten, binnen de rationele moderniseringsbeweging. Maar naast groepen als Man, Vrouw, Maatschappij traden al snel Dolle Mina's en feministisch socialisten op de voorgrond, die zowel in politieke doelstellingen als in actievormen beduidend radicaler waren.

118

Het meest opvallend was het anarchistisch getoonzette optreden van de eerder genoemde provo's, een voornamelijk hoofdstedelijke groep jongeren die het zeker voor het vanouds zwaarwichtige Nederland nieuwe begrip 'ludieke actie' vorm gaf. Zelfs de geheel verkalkte, stalinistische CPN kon in deze jaren bogen op een hernieuwde toeloop van enthousiaste geradicaliseerde studenten.

Waarin berustte nu de radicaliteit van deze groepen? Bij alle verschillen tussen keurige verontruste christenen, hasj-rokende provo's en anti-confessionele nieuw-linksers valt er wel een aantal punten te noemen, waarop de verschillende radicalen elkaar herkenden.

Men was tegen de atoombewapening, die in de afgelopen decennia almaar toegenomen was. Bij velen uitte dit pacifisme zich ook in onvrede met de Navo, het westerse bondgenootschap dat de hoeksteen van het Nederlandse buitenlandse beleid vormde. Sommigen zagen de Navo als instrument van het kapitalisme, anderen ergerden zich aan de aanwezigheid in het bondgenootschap van ondemocratische regimes als dat van de kolonels in Griekenland en dat van de fascist Salazar in Portugal. Dat de eeuwige minister van buitenlandse zaken, mr. J.M.A.H. Luns, zowel fervent Navo-aanhanger, als KVP'er, als bewonderaar van Salazar, als oud-sympathisant van de NSB was, kwam voor de vorming van het vijandbeeld goed van pas.

Het optreden van de Verenigde Staten in Vietnam leidde niet bij iedereen tot felle kritiek, maar wel bij grote groepen tot twijfel aan de gerechtvaardigdheid van dit soort verdediging van het Vrije Westen. Waren de macht en misschien ook wel de welvaart van het westen niet gebaseerd op uitbuiting van de Derde Wereld? Was het hele systeem van kapitalistische produktie en consumptie niet mensonterend en ongelukkig makend?

Men zou kunnen spreken van een fundamentele cultuurkritiek, van een afwijzing van de behaaglijke inbedding van het leven in de comfortabele welvaartsstaat. Dat gevoel was niet nieuw. Zo was bijvoorbeeld de journalist Jan Vrijman al in 1955 in *Vrij*

Men begon zich geleidelijk aan bewust te worden van de verantwoordelijkheid voor het milieu. Kabouters, die dicht bij de natuur wilden leven, stelden door middel van ludieke acties de luchtvervuiling aan de kaak. Door uitlaatgassen flauwgevallen kabouters moesten met een vat zuurstof weer worden bijgebracht.

Nederland tot de volgende ontboezeming gekomen over het levensgevoel van een groep jeugdigen op de Nieuwendijk in Amsterdam: 'Het gaat de nozems niet om een goed loon, om prettige arbeid, om bestaanszekerheid – het gaat ze om het volle pond: een volstrekte levensvervulling, iets wat iedere zenuw en hartvezel raakt, een wezenlijke levensfunctie – of zeg maar domweg geluk. Geluk is voor hen iets anders dan behaaglijkheid. Jarenlang zullen ze dat surrogaat blijven weigeren tot ze het niet meer bolwerken, tot ze capituleren en het grote compromis sluiten met de maatschappij.'

Waarschijnlijk beschreef Vrijman meer de ideeën van een deel van zijn eigen generatie dan de opvattingen van de nozems. Hun verzet was een uitingsvorm van de tijdelijke oppositie tegen en uitdaging van de gevestigde orde, die nu eenmaal eigen is aan adolescenten op weg naar volwassenheid.

Het begrip van Vrijman en de zijnen hiervoor geeft aan dat er een vruchtbare voedingsbodem bestond voor ideologisch gemotiveerd verzet tegen de bestaande maatschappij, zoals enige jaren later provo en andere linkse groepjes dat zouden gaan uitdragen. Hier was sprake van een puberaal verlangen naar de eeuwige adolescentie.

Deze *mid-life crisis* van de verzorgingsstaat die zich uitte in een

verbaal protest tegen het risicoloze, voorspelbare en saaie burgermansbestaan, kon in Nederland niet de hoofdstroom worden. Kenmerkend voor het moderne Nederland was niet
Vrijmans romantische sympathie met het vermeende vitalisme
van de nozems, maar W. Buikhuisens techniek van repressief
begrip voor provo's. In 1965 beschreef de criminoloog
Buikhuisen in een wetenschappelijke studie Vrijmans nozems
(hij sprak over provo's) als een groep van onschuldige adolescenten, die zich domweg verveelden. Het recept hiertegen was:
relpreventie door middel van een actief vrijetijdsbeleid. De sec-

barbecue en bont zijn van nu

Vrouwen van nu hou-
den van dingen doen,
die passen in deze
tijd. Een avond bar-
becuën, praten over
aktualiteiten en poë-
zie. Zij weten wat
aktueel is. dragen
bont, kopen graag
bont bij C & A. Want

C & A is van nu. De
bontspecialisten van
C & A houden de
laatste mode-ontwik-
kelingen bij, weten
precies wat er te
koop is.
Daarom kozen zij o.a.
deze jas van bever-
lam (ƒ400,-). Zeer bij-

zonder door de kleur
(visonette), die vol-
komen nieuw is voor
bever-lam. U ziet het
in één oogopslag
Bont van nu koopt U
bij C & A

C&A

*Deze reclameactie van
C&A aan het eind van de
jaren zestig maakt duide-
lijk hoe sterk de ideeën
over wat kan en niet kan
de afgelopen twintig jaar
veranderd zijn.*

122

ties jeugdwerk van de ministeries van justitie en van CRM moesten gewoon even de handen ineen slaan.

Overdreef Vrijman, Buikhuisen deed te veel aan minimalisering van het verschijnsel. Zeker was het jeugdprotest een strovuurtje, maar de ondergrond van het romantische protest tegen de gladde onpersoonlijke verzorgingsstaat viel niet te negeren. Dat zou onder andere blijken uit de hardnekkigheid van progressieve bewegingen binnen de kerken en – in de jaren zeventig en tachtig – uit de aantrekkingskracht van de milieubeweging. Hier werden vormen van een 'reiner en hoger leven' gepropageerd, die bij grote groepen in de samenleving appelleerden aan gevoelens van zowel sympathie als wrevel.

Beide emoties kwamen voort uit het slechte geweten van veel Nederlanders, uit het aloude onbehagen over de prijs die men voor de van overheidswege gegarandeerde welvaart en verzorging moest betalen. Het zou mooi zijn als het leven anders, kleinschaliger, milieuvriendelijker en minder onpersoonlijk ingericht zou kunnen worden, maar men realiseerde zich drommels goed, niet bereid te zijn om de geneugten van de welvaart op te geven. Dat leidde tot incongruenties als milieuvervuilende Citroën 2CV's die door progressief Nederland rondgereden werden, voorzien van geplastificeerde stickers gericht tegen atoomstroom en op het behoud van een zuivere Waddenzee.

Vooralsnog leek het er in de jaren zestig even op dat het mogelijk zou zijn om het beste van twee werelden te combineren. Waarom zouden economische groei, welvaart en modernisering in tegenspraak moeten zijn met vrijheid, individuele ontplooiing en emotionele bevrediging van de diepste levensgevoelens? Het was de tijdgenoten ook lang niet altijd duidelijk dat er sprake was van tegenstrijdige of op z'n minst ambivalente wensen en belangen. Integendeel, alle soorten van maatschappijkritiek, progressiviteit en hervormingsgezindheid leken elkaar op het eerste gezicht te versterken.

Symptomatisch voor deze houding was het feit dat andersgetinte protesten tegen de moderne samenleving, die niet van 'links'

In de jaren zestig begon men voor het eerst in de geschiedenis kleding te dragen die zowel passend was voor het werk als in de vrije tijd.

maar van 'rechts' kwamen, stelselmatig genegeerd of gebagatelliseerd werden. Zo was men in 1963 aanvankelijk enorm geschrokken van de opkomst van de Boerenpartij, die bij de Kamerverkiezingen drie zetels wist te behalen, in die tijd een politieke aardverschuiving. De ongerustheid van de politieke en maatschappelijke elites kwam voort uit het populistische en irrationele van dit protest tegen de moderne samenleving. Angstige vergelijkingen met de opkomst van nationaal-socialistische en fascistische partijen van vóór de oorlog werden getrokken.

Hoewel de Boerenpartij, onder leiding van de populaire, demagogisch bepaald begaafde boer Koekoek in 1967 bij de verkiezingen op zeven zetels kwam, nam de ongerustheid sterk af. Men meende het rechtse protest nu herkend te hebben voor wat het was. Het was reactionair en zowel materieel als in waardenpatroon gericht op voorbije tijden. De aanhangers moesten immers gezocht worden onder de oude middenstand en de ongeschoolde arbeiders. Deze beroepsgroepen, zo luidde de analyse, waren tot uitsterven gedoemd en hun maatschappelijke protestschreeuw was die van een stervende klasse. Met deze sociale groepen zou ook hun rechtse, intolerante waardenpatroon afsterven, omdat de jongere generatie betere scholing en dus betere (bedoeld werd niet-rechtse) ideeën zou krijgen.

Het probleem werd dus vaardig weggedefinieerd. Rechts verzet kon volgens deze redenering in het moderne, geciviliseerde Nederland geen toekomst hebben. Electoraal kwam die voorspelling uit; in 1971 behaalde de Boerenpartij nog slechts één zetel. Maar dat wil niet zeggen dat de emoties waarop het succes van deze partij berust had ook verdwenen waren. In de komende decennia zou dit type van verzet tegen het establishment, inspelend op ressentiment tegen 'in de watten gelegde buitenlanders' een vast begeleidingsverschijnsel blijken te zijn van de moderne welvaartsstaat, zeker als die financieel onder druk kwam te staan. Electoraal stelde het ook nu niet veel voor, maar het besef zou dagen dat wellicht vele niet-stemmers het in wezen niet oneens waren met de nieuw-rechtse kritiek.

André van der Louw, voorvechter van vernieuwing binnen de PvdA, poseert hier met zijn echtgenote in Hilversum. Zij is gekleed in hotpants, het handelsmerk van actieve, geëmancipeerde, jeugdige vrouwen aan het begin van de jaren zeventig.

Dit probleem was, zo ging men beseffen, ook niet van tijdelijke aard, want in de Nederlandse verzorgingsstaat bleven gedepriveerde groepen aanwezig. Er zouden altijd buitenstaanders zijn, zo zou men zich gaan realiseren, voor wie de modernisering niet vrolijk was verlopen en voor wie geen wenkend toekomstperspectief bestond. De erkenning van de ernst van de zaak zou onder andere blijken uit de omzichtige wijze waarop het probleem van buitenlanders, minderheden en allochtonen in steeds omfloerstere eufemismen gevat werd. Ook een uitwijkmanoeuvre natuurlijk, maar minder wereldvreemd dan die van de jaren zestig. Het probleem werd als onschuldig voorgesteld, niet meer onzichtbaar gemaakt.

Eind jaren zestig kon men zich dus nog een blinde vlek voor deze schaduwzijde van de modernisering veroorloven. Men had het gevoel in een progressief tijdperk te leven, dat niet meer op zou houden. Typerend voor de grootse pretenties van veel maatschappijhervormers was een rapport van de Wiardi Beckman Stichting, het wetenschapelijk bureau van de PvdA uit 1971, getiteld *Verander de mensen, verbeter de wereld*. Welvaart, zo viel in deze notitie te lezen, had nog geen welzijn gebracht. Maar geen nood, de fase van welzijnsbevordering was nu aangebroken. Dat werd ook wel tijd, want de psychische nood was hoog gestegen vanwege de toenemende onzekerheid door processen als secularisatie, urbanisatie en emancipatie. Maar omdat tegelijkertijd de kennis van het menselijk gedrag en van de menselijke verhoudingen toegenomen was, viel er nu wat aan te doen. Er bestonden nu technieken voor het bereiken van welzijn. Emotioneel geluk kon instrumenteel bereikt worden.

Even dreigde de agogie de politiek te verdringen. Maar ook in de PvdA kwam de verbeelding niet echt aan de macht. Partijleider was J.M. den Uyl, wiens politieke credo was en bleef dat de marges van democratische politiek smal waren. Hij heeft nadien meer gelijk gekregen dan hij wel wilde, omdat in zijn kabinetsperiode zou blijken dat de verzorgingsstaat toch vooral in die zin een welvaartsstaat was, dat het sociaal-economisch draagvlak voor collectieve voorzieningen stevig moest zijn.

Vlak voor de oliecrisis van 1973 dit besef zou verscherpen, was men in progressieve kring toch wel zeer optimistisch over de mogelijkheid om de toekomst naar zijn hand te zetten. Het waren de jaren van het arrogante, onaantastbare PvdA-programma *Keerpunt '72* en van de zogenaamde polarisatiestrategie, gericht op het bereiken van een politieke meerderheid voor links. Links leek ook werkelijk in politieke macht toe te nemen. Maar dat was gezichtsbedrog. Gezamenlijk kwamen de linkse partijen nooit ver uit boven een derde van de Kamerzetels. De PvdA, de kleine linkse partijen en D'66 vormden in hoge mate communicerende vaten. De verkiezingswinst van de een ging meestal regelrecht ten koste van de ander.

Wat, behalve *wishful thinking*, dit gezichtsbedrog in de hand werkte, was het verlies van de confessionele partijen. Dat was inderdaad spectaculair. In 1963 hadden KVP, ARP en CHU gezamenlijk nog 80 zetels in de Tweede Kamer. In 1972 was dat aantal teruggelopen tot nog slechts 54 zetels. Dit verlies leek zich te weerspiegelen in hun politieke gedrag. Onder en binnen het confessioneel-liberale kabinet-De Jong (1967-1971) was het nog stabiel en rustig geweest, maar kennelijk waardeerden de kiezers deze degelijkheid niet meer. De confessionele partijen verloren bij de verkiezingen weer fors. Het kabinet-Biesheuvel was rommelig en rammelend; het kon opgevat worden als een wanhopige poging van de confessionelen om de politieke macht nog even vast te houden. Bij de verkiezingen van 1972 werd dit gedrag, zo leek het, afgestraft. De politieke macht leek nu de confessionelen voorgoed tussen de vingers door geglipt te zijn. Een echt keerpunt leek aan te breken.

Maar deze politieke trend bleek zich niet onherroepelijk voort te zetten. De confessionelen wisten zich electoraal te stabiliseren en ongemerkt waren de conservatief georiënteerde liberalen ook stevig gegroeid. Het kabinet-Den Uyl zou meer een intermezzo blijven dan een waterscheiding. Niet Den Uyl, maar A.A.M. van Agt zou de premier van de jaren zeventig worden. Niet de PvdA, maar het CDA zou de politieke spilpositie gaan bezetten. Was er dan in politiek Nederland zo weinig veranderd, dat nog steeds de confessionelen de baas waren? Oppervlakkig gezien wel, maar het CDA herbergde niet meer dezelfde confessionelen als in de jaren vijftig. Het verschil valt goed te illustreren aan het fietsgedrag van twee confessionele politici uit beide tijdperken. Zowel H.W. Tilanus, fractievoorzitter van de CHU in de

Van Agt onderscheidde zich niet alleen door zich persoonlijk sterk te maken voor de strijd tegen abortus en porno-bioscopen, maar ook door zijn markante uitspraken, waarvan 'Ik heb wel een mening maar ik geef hem niet' waarmee hij journalisten wist te omzeilen, bijna klassiek geworden is.

Tilanus en Van Agt: de regent en de populist met fiets.

jaren vijftig als Van Agt maakten gretig gebruik van de fiets. Dat wijst op het eerste gezicht op continuïteit. Bij nadere beschouwing zijn de verschillen belangrijker. Gebruikte Tilanus zijn fiets als degelijk en saai vervoermiddel, Van Agt hanteerde hem als hedonistisch speeltje. Had Tilanus een hekel aan ruzie en is hij vooral bekend geworden om zijn sussende, voor de compromissenpolitiek typerende uitspraak 'moet dat nu zo?', Andries van Agt zocht op populistische wijze ruzie met 'ome Joop'. Dit verschil in stijl kan ook aan een ander punt gedemonstreerd worden. Wie kent de voornaam van Tilanus?

V. DE ONSTUITBARE OPKOMST VAN DE MODERNE CONSUMPTIEMAATSCHAPPIJ

1960-1973

Op 24 mei 1960 werd de miljoenste telefoonaansluiting verricht. De auto, de koelkast en de wasmachine rukten verder op. De televisie overvleugelde definitief de radio. Showprogramma's, series en hoorspelen verloren hun publiek aan equivalenten op de televisie: programma's als *Zaterdagavondaccoorden*, met Henk en Teddy Scholten, *Een kwartje per seconde* van Lou van Burg en de van de Amerikaanse tv overgenomen quiz *Je neemt er wat van mee* van Theo Eerdmans. Kinderen kregen naast *Kleutertje luister* op woensdag- en zaterdagmiddag *Dappere Dodo*, *Swiebertje* en *Pipo de Clown*.

Televisie

De straten waren leeg als Sjoukje Dijkstra (in 1964 Olympisch kampioen kunstrijden op de schaats) op de televisie was, of Toon Hermans. Het optreden van Toon Hermans op 27 februari 1965 haalde een kijkdichtheid van 95,5 procent. De waardering bedroeg 84 ('een achteneenhalf'), een cijfer dat in die jaren, bij aanzienlijk geringere kijkdichtheid, alleen werd gehaald door uitvoeringen van *De zigeunerbaron* en *Die Lustige Witwe*. De eerste uitzending die een hoger waarderingscijfer haalde was de reportage van de finale om de Europa Cup tussen Celtic en Feijenoord in 1970.

Ook in de nieuwsvoorziening ging de tv een grotere rol spelen: sinds 1956 bestond er een televisiejournaal. Maar als er werkelijk wat gebeurde kon je beter naar de radio luisteren, bleek bij de moord op Kennedy in november 1963. Fred Emmer liet het in het NTS-journaal bij een korte mededeling. De uitzending van *Bonanza* werd vervolgens afgelast en vervangen door *Brandpunt*, maar dat had naast een paar foto's alleen buitenlandcommentator Henk Neuman, die doorgaf wat hij hoorde op zijn op American Forces Network afgestemde radio. Verder was er de hele avond het woord 'pauze' te zien.

Behalve over reclame op de televisie werd er gesproken over het introduceren van een tweede net, want in vergelijking met het buitenland was het tv-aanbod in Nederland gering. Ook daarover waren de meningen aanvankelijk verdeeld. Rudi Carrell bijvoorbeeld was er geen voorstander van: 'De ene heeft dan naar het eerste net gekeken, de ander naar het tweede. We zijn dan niet meer één volk. [...] Dat lijkt me gewoon minder gezellig worden.' In 1964 werd het tweede televisienet desondanks in gebruik genomen. De programma's waren aanvankelijk alleen te ontvangen in de buurt van Lopik, pas vanaf 1967 in het hele land. Het aantal tv's in Nederland was inmiddels op 2,3 miljoen gekomen. De televisie was niet meer weg te denken uit het leven. In 1964 zond het eerste net 30 uur per week uit en het tweede 17,5, en de zendtijd werd steeds verder uitgebreid. Vanaf 1968 werden er steeds frequenter uitzendingen in kleur verzorgd.

In 1962 werd de eerste grootscheepse liefdadige actie op de tv gebracht: 'Open Het Dorp'. Het ging erom geld bijeen te krijgen voor een dorp met aangepaste voorzieningen voor invaliden. Het grootste wapenfeit op dit gebied tot dan toe was de radio-actie 'Beurzen open, dijken dicht', ten bate van de slachtoffers van de watersnoodramp van 1953, die ruim vijf miljoen had opgeleverd. Maar 'Open Het Dorp' overtrof alles. Het werd een televisie-uitzending van 23 uur, gepresenteerd door Mies Bouwman. Het Nederlandse volk bracht vijfeneenhalf miljoen bijeen in luciferdoosjes. Willy Alberti kwam een gouden plaat brengen, een invalide meisje het geld dat was bestemd voor haar bruidsjurk. Afgezanten van bedrijven slaagden er bij het overhandigen van cheques en bijdragen in natura steevast in enige malen de naam van de firma te noemen. De totale opbrengst was 20 miljoen. Het Dorp werd uiteindelijk in 1970 in gebruik genomen.

Het fatsoen

Naarmate er meer mensen naar keken steeg het belang van het medium, en dat kwam tot uiting in een aantal rellen. In 1960 was de opwinding nog bescheiden toen Simon Carmiggelt had

gezegd: 'God schiep de vrouw, zag hoe het de man verging en bleef vrijgezel.' Freule Wttewaal van Stoetwegen vroeg de regering 'te bevorderen dat zulke godslasterlijke uitlatingen in de tv-uitzendingen achterwege blijven'.

Op zaterdagavond 4 januari 1964 bevatte de derde aflevering van het satirische Vara-programma *Zo is het toevallig ook nog 's een keer* (geïnspireerd door *That was the week that was* van de BBC) een scène getiteld 'Beeldreligie'. Die begon als volgt: 'Met Kerstmis waren alle kerken ter wereld vol. Maar nu zijn ze al weer vele malen leger. En er heerste een grote vreze dat de mensen steeds minder gelovig zouden zijn. Maar die vrees, lieve broeders en zusters, is ongegrond. Want er is een nieuwe oecumenische religie, die allen – gelovigen en ongelovigen – heeft bekeerd tot een nieuw, intens geloof.' Er kwamen daken met antennes in beeld, met als commentaar 'van alle kerken en kapellen wenkt blijmoedig verkondigend het kruis [...] hier is het licht, hier vindt gij de ontvangst, hier ziet gij het aanschijn van het Beeld. [...] Geef ons heden ons dagelijks programma, wees met ons, o Beeld.' Mies Bouwman, na 'Open Het Dorp' min of meer heilig verklaard, werd in anonieme reacties uitgemaakt voor 'volslagen hoer' en 'vuile jodin' en kreeg politiebescherming. Rinus Ferdinandusse, 'die viezerik', was 'een zenuwpatiënt met z'n gluiperige kraalogen'. *De Telegraaf* vond het programma 'vuiligheid', *De Volkskrant* sprak van 'excessen' en *De Waarheid* vond het 'onsmakelijk'. KVP, ARP, CHU en VVD vroegen in de Tweede Kamer om ingrijpen van de regering. Ze wilden dat het programma, ter voorkoming van verdere schending van de openbare orde en de goede zeden, zou worden verboden. Minister-president Marijnen deelde mede dat maatrege-

Spraakmakend was het satirische Vara-programma Zo is het toevallig ook nog 's een keer. *Mies Bouwman werd zo beschimpt dat zij haar medewerking aan het programma staakte.*

Natuurlijk kreeg *Zo is het toevallig ook nog 's een keer* ook steunbetuigingen naar aanleiding van de gewraakte scène van Peter Lohr. De auteur Harry Mulish noemde hem 'een der intelligentste parodisten die ik ooit gezien heb' en onderschreef zijn boodschap en wijze van brengen. En hij was gelukkig niet de enige.

len werden overwogen om herhaling te voorkomen.

De vanzelfsprekende eerbied waarmee onderwerpen als de monarchie, godsdienst, huwelijk en seksualiteit altijd waren behandeld werd steeds vaker openlijk belachelijk gemaakt. Dat gebeurde natuurlijk niet alleen op de tv. In '64 zorgde ook het boek *Ik, Jan Cremer* voor opschudding. Het was een bestseller, maar er werd schande geroepen en de postbode bezorgde Cremer wekelijks drollen. Moe van de Nederlandse bekrompenheid trok de auteur naar New York. 'Toen ik naar Amerika vertrok', zei hij terugblikkend, 'waren er in Amsterdam zegge en schrijve negen restaurants en die gingen om negen uur dicht. 's Avonds was het donker. Een uitgaansleven was er niet. Je zat thuis met vrienden stratego te spelen en te kaarten. [...] De vrouwen zaten achter in de kamer te praten over handwerken.' 'Mijn boek schokte omdat er een paar seksuele belevenissen in worden beschreven. [...] Er staat geen onvertogen woord in. [...] Ik heb alleen voor het eerst de taal geschreven die in kazernes en fabriekskantines wordt gesproken. Dat was mijn grote verdien-ste. De dingen worden gewoon bij de naam genoemd en dat kon niet in die tijd.'

Uitzending van een radio-programma waarin het gedicht 'Niet te geloven' van Remco Campert zou worden gelezen werd door de leiding van de Avro verhinderd vanwege de regel 'alles zoop en naaide'. In de pers werd veel aandacht besteed aan deze vorm van censuur, maar geen enkele krant noemde het woord naaien. Volgens de *NRC* ging het om een woord dat in minder platte zin 'naald en draad hanteren' betekende, volgens het *Algemeen Dagblad* om 'zes letters, samen vormend een werk-woord dat veel wordt aangetroffen op schuttingen en in de moderne literatuur'.

In 1964 maakte de ARP in de Eerste Kamer bezwaar tegen het boek *Nader tot U* van Gerard Kornelis van het Reve, omdat daarin 'met niets ontziende brutaliteit de homosexualiteit gelijk-waardig gesteld wordt aan het wonderlijke liefdesspel tussen man en vrouw'. (Toen *Achter Het Nieuws* dat jaar voor het eerst een programma uitzond over homofilie, kwamen van de geïnterviewden alleen de rug en het achterhoofd in beeld.)

Van het Reve werd bovendien beschuldigd van godslastering vanwege de volgende passage: 'En God zelf zou bij mij langs komen in de gedaante van een éénjarige muisgrize ezel en voor de deur staan en aanbellen en zeggen "Gerard dat boek van je - weet je dat ik bij sommige stukken gehuild heb." "Mijn Heer en mijn God. Geloofd zij Uw naam tot in alle Eeuwigheid. Ik houd zo verschrikkelijk veel van U", zou ik proberen te zeggen, maar halverwege zou ik al in janken uitbarsten en Hem beginnen te kussen en naar binnen trekken en na een geweldige klauterpartij om de trap naar het slaapkamertje op te komen zou ik hem Drie keer achter elkaar langdurig in zijn Geheime Opening bezitten,

De televisie-antennes op de daken veranderden het aanzien van de stad.

en daarna een presentie-eksemplaar geven, niet gebrocheerd, maar gebonden – niet van dat gierige en benauwde – met de opdracht "Voor de Oneindige zonder Woorden".' Maar wie las dat? Een enquête wees uit dat Godfried Bomans in 1963 Neerlands populairste schrijver was. Hij bleek de favoriet van bijna een vijfde van de ondervraagden. Ver achter hem eindigden Simon Vestdijk, Simon Carmiggelt, Jan Mens, Jan de Hartog en Anne de Vries.

Popmuziek

De radio kwam intussen hoe langer hoe meer in de greep van de grammofoonplaat, en de grammofoonplaat was in toenemende mate bestemd voor de jeugd. Op de officiële Hilversumse zenders waren in 1960 nog nauwelijks platenprogramma's te beluisteren, maar jongeren bleven vragen naar 'popmuziek'. Wie daar iets van wilde meepikken was nog altijd aangewezen op Radio Luxemburg en de AFN. De Nederlandse omroepen bepaalden hun aandacht liever tot beschaafde muziek. 's Morgens 'lichte ochtendklanken' (Ray Conniff, Willy Schobben, de Kilima Hawaiians, en nog immer de onvermijdelijke Eddy Christiani),

135

's middags, na de programma's voor huisvrouwen, het Metropole-orkest, en 's avonds een concert.

Maar vanaf april 1960 kreeg Hilversum concurrentie vanuit zee: de piraat Radio Veronica begon met uitzendingen die geheel gericht waren op verstrooiing. Men draaide voornamelijk platen, afgewisseld met reclameboodschappen. In een mum van tijd had Veronica miljoenen luisteraars, vooral in het westen des lands, waar de ontvangst het beste was. Velen maakten gebruik van de in 1957 geïntroduceerde draagbare transistorradio.

De rock & roll rage was inmiddels geluwd. Alleen een groep 'vetkuiven', gehuld in leren jasjes en strakke broeken, liet de juke-box nog 'Shake, rattle and roll' spelen. Een Nederlandse versie was nooit ontstaan. De enige uitzondering was 'Kom van dat dak af' van Peter Koelewijn. Even was de twist nog een rage, maar verder was de populaire muziek weinig opwindend. De grootste hits waren 'Marina', bezongen door Rocco Granata, 'Milord' van Edith Piaf (nagezongen door Corry Brokken) en 'Ramona' van de Blue Diamonds. Maar de behoefte aan dergelijke muziek, die in Hilversum maar in zeer bescheiden mate aan bod kwam, was blijkbaar overstelpend.

In 1965 begon Veronica, in navolging van de Amerikaanse praktijk, een zogenaamde 'hitparade', de Top-40, waarin wekelijks de best verkochte platen op een rij werden gezet. De Top-40 werd niet alleen gepubliceerd, maar ook uitgezonden en werd onmiddellijk het meest beluisterde radioprogramma. Naar Radio Veronica luisterden trouwens toch meer mensen dan naar de Hilversumse zenders.

De hitparade fungeerde als hulpmiddel voor programmamakers, maar werd vooral belangrijk voor de grammofoonplatenhandel. Eind jaren vijftig was de platenverkoop in Nederland nog te verwaarlozen. Pop was in de platenwinkels te vinden onder 'amusementsmuziek'. Maar in de jaren zestig en zeventig groeide de omzet spectaculair, en in 1974 was de platenverkoop per hoofd van de bevolking alleen in de Verenigde Staten en Japan groter.

Na een periode van verwarring waren de grote, krakende en

breekbare 78-toeren platen langzamerhand vervangen door 45-toeren 'singles' (met een nummer aan elke kant) en 33-toeren 'langspeelplaten'. Aanvankelijk werden er voornamelijk singles verkocht. De popmuziek was geheel gericht op het produceren van hits en dus gespecialiseerd in goed in het gehoor liggende liedjes van twee à drie minuten. In het midden van de jaren zestig werden de tranentrekkers en schlagers voor jong en oud op de hitparade voorbijgestreefd door 'beatmuziek'. Die werd uitsluitend geapprecieerd door jongeren, ouderen vonden het 'geblèr'. De jongens die deze muziek produceerden, in de eerste plaats natuurlijk de Beatles, maar ook de Rolling Stones, de Kinks, de Who, de Hollies, Manfred Mann, de Troggs, de Tremeloes en Dave Dee, Dozy, Beaky, Mick & Tich – allemaal afkomstig uit Liverpool, Manchester of Londen – hadden bovendien lang haar. Tot verdriet van vele ouders werden hun muziek en haardracht in Nederland geïmiteerd door honderden beatgroepen, meestal met valse gitaren en in steenkolen-Engels. Toch was een aantal van die groepen tamelijk succesvol, met name de Motions en de Golden Earrings uit Den Haag, de Outsiders uit Amsterdam en de Volendamse Cats. Soms hadden ze zelfs succes in het buitenland. Het belangrijkste wapenfeit op dat gebied kwam op naam van de Haagse groep Shocking Blue. Met het nummer 'Venus' (met een van de Beatles gepikt gitaarloopje) bereikten ze de eerste positie in de Amerikaanse hitparade.

Hilversum reageerde langzaam op de opkomst van de popmuziek. Sinds 1959 waren er wel enkele platenprogramma's op de radio (*Tijd voor teenagers* van de Vara, en *Tussen 10+ en 20-* van de Avro), maar veel te weinig naar de zin van de jonge luisteraars, die bleven afstemmen op Radio Veronica en andere piratenzenders, zoals Radio Caroline en Radio London.

Ook de televisie begon in het begin van de jaren zestig voorzichtig in te spelen op de overweldigende belangstelling voor popmuziek. In december 1961 startte de Vara het programma *Top of Flop*, gepresenteerd door Herman Stok. Het idee was overgenomen van het Engelse programma *Jukebox jury*: een jury

Uitzinnige taferelen ontstonden tijdens het optreden van de Stones in het Kurhaus van Scheveningen op 9 augustus 1964. Na een kwartier sloegen de fans de boel kort en klein en maakte de politie een eind aan het optreden.

Op 6 en 7 juni 1964 bezochten de Beatles Nederland. Zij verzorgden een tv-optreden in Hillegom, traden op in het plaatsje Blokker en maakten een rondvaart door de Amsterdamse grachten.

moest beoordelen of een grammofoonplaat een succes zou worden of een mislukking. In de jury zaten steeds andere bekende en minder bekende Nederlanders, en als zij wat in een plaat zagen luidde Herman Stok een belletje. Werd de via de jukebox ten gehore gebrachte plaat een flop geacht, dan drukte hij op de toeter. *Top of Flop* groeide uit tot Neerlands populairste televisieprogramma.

Herman Stok ontving in 1964 samen met Berend Boudewijn de Beatles, die op dat moment furore maakten met 'I want to hold your hand' en 'Can't buy me love'. Een jaar eerder had Willem Duys ze niet willen hebben, omdat hij nog nooit van ze had gehoord. Hij verkoos de Spotnicks. Maar nu werden de Beatles hysterisch toegejuicht, zowel tijdens hun optredens (voor de tv en in de veilinghal in Blokker) als tijdens hun rondvaart door de Amsterdamse grachten. 'Ik ben er zeker van, dat de Beatles nog heel lang meekunnen', zei Herman Stok, 'als ze onderling geen ruzie krijgen en als de smaak van de teenagers voorlopig nog op beatmuziek blijft staan.'

Jeugdcultuur

Met de groeiende behoefte aan popmuziek groeide ook de belangstelling voor informatie over de helden van de popmuziek. De oplage van het blad *Muziek Expres*, begonnen in 1956, steeg van 100.000 in 1963 naar 360.000 in 1974. Van het blad *Popfoto*, in 1966 gestart met een oplage van 100.000, werden in 1974 310.000 exemplaren gedrukt.

De jeugd was een factor geworden in de maatschappij, niet het minst omdat jongeren interessant waren als doelgroep voor de commercie. Dank zij de geboortengolf van na de oorlog was het percentage jongeren op de totale bevolking drastisch toegenomen en de jeugd had bovendien geld. Jong zijn was niet langer een handicap, maar een aanbeveling. De jeugd van de jaren zestig was opgegroeid met welvaart, en beschouwde die als de gewoonste zaak van de wereld, ook al beweerden hun ouders dat het ook anders kon. Het was voor veel jongeren onbegrijpelijk dat ouderen zo bleven hameren op de noodzaak van een goede opleiding en hard werken. Iedereen kreeg werk. Hoezo 'het geld groeit niet op m'n rug'? Hoezo sparen? Zakgeld was een vanzelfsprekendheid. Een consumptie-ethos nam de plaats in van het arbeidsethos van de oudere generatie. De jeugd haastte zich het zakgeld te besteden aan de laatste hits, aan broeken met wijde pijpen, minirokken, spijkerpakken, oogschaduw, Clearasil, patat en Bazooka's.

Onder jongeren ontwikkelde zich in deze omstandigheden een ze ker zelfbewustzijn. 'We zijn van mening dat de ouderen bang voor ons, tieners, zijn', schreven de initiatiefnemers in het eerste nummer van het blad *Hitweek*, in 1965 gepresenteerd als alternatief voor gevestigde, door ouderen gemaakte bladen als de *Muziek Expres*. 'Krijg jij ook les van een idioot?', werd de lezers gevraagd.

Behalve een jeugdmarkt ontstond er ook een jeugdcultuur. De

139

Over de lengte van het haar werd in veel gezinnen een kleine oorlog gevoerd. Lang haar was zo'n belangrijk deel van de jeugdcultuur dat er zelfs een aparte Stichting Pro Lang Haar werd opgericht.

industrie sleet de jongeren platen, films, kleren en cosmetica, maar eigen muziek, helden en mode gaven de jeugd ook een eigen identiteit. Hun muziek, haardracht en kleding golden als expressie van onafhankelijkheid. Het generatieconflict kreeg sociale dimensies: ouders representeerden het burgerlijk waardenpatroon van de samenleving.

Ouders deden verbeten pogingen het tij te keren. Ze eisten dat hun kinderen op tijd thuis waren en dat de muziek zacht werd gezet. Jongens werden naar de kapper gestuurd, en meisjes mochten mascara noch minirok. Maar het was uiteindelijk tevergeefs: alles werd onherroepelijk anders. En het werd nog erger. Halverwege de jaren zestig was er een generatie jongeren die alles had. Hun ouders hadden er voor krom gelegen: de auto, de televisie, de wasmachine en de vakantie in het buitenland. Maar terwijl de tv voor hen gold als een symbool van de verkregen welvaart, werd hij door de jeugd gewoon als een ding gezien. En nu weerklonk hier en daar de roep 'weg ermee'. Er waren jongeren die vonden dat iedereen was 'gehypnotiseerd door materieel comfort' en dat subversieve actie was geboden. Er ontstond een subcultuur die rond 1965 een belangrijke invloed kreeg op de consumerende jeugdcultuur. De opvallendste exponenten daarvan waren de hippies, oorspronkelijk een Amerikaanse radicale culturele beweging voor wie de 'beatgeneration' van de jaren vijftig het grote voorbeeld was: de 'beatniks', anti-bourgeois en anti-materialistisch, die experimen-

teerden met drugs en zwarte jazz-musici als Charlie Parker ver-
eerden. Via de jazz en het werk van Jack Kerouac was hun roem
ook tot Nederland doorgedrongen, en de Amsterdamse 'plei-
ners', de jongeren die het Leidseplein onveilig maakten, types
als Simon Vinkenoog, waren hun epigonen. Zij organiseerden in
1962 de eerste Amsterdamse 'happening'.

De hippies, eenvoudig herkenbaar aan haardracht, kledij en
schoeisel, wilden zich onttrekken aan de heersende maatschappelijke normen en gewoon doen waar ze zin in hadden (weet je
wel). Om de geest wat te verruimen werd naar hartelust geëxperimenteerd met drugs. Psychedelische muziek en een vleugje
oosterse godsdienst werden daarbij ook vaak dienstig geacht.
Uiteraard ging het om een kleine groep, maar de aantrekkingskracht van het hippiedom gaf aan dat grote groepen genoeg
hadden van de conventionele maatschappij. In de muziek werd
de onvrede verwoord in 'protestsongs'. Boudewijn de Groot

Hiervan moesten de opstandige jongeren nu net niets hebben: een eethoek van Pastoe en fauteuils van Artifort. Het tapijt en de gordijnen, die volgens de reclamemakers van dode vlakken levende beel- den maakten, waren van De Ploeg.

141

Hippies in het Vondelpark. Andere belangrijke ontmoetingsplaatsen waren de muziektheaters Paradiso en de Melkweg. Hippies vonden hun inspiratie in Oosterse filosofie en experimenteerden vaak met geestverruimende middelen als LSD en marihuana.

zong een Nederlandse versie van Bob Dylans 'The times they are a-changing' en had een hit met 'Welterusten meneer de president'. Het mooiste Nederlandse protestlied was echter 'Ben ik te min', van de Eindhovense zanger Armand. 'Ben ik te min', zong hij, 'omdat je pa in een grotere kar rijdt dan de mijne?' Het werd in 1967 een grote hit.

De zwakke plekken in de gevestigde orde werden op vrolijke wijze aangetoond door de provo-beweging, die er een zaak van maakte om uiting te geven aan wat volgens de maatschappelijke normen onderdrukt zou moeten worden. De kern van de onsystematische sociale kritiek van de provo's was dat het gezag zich niet aan de eigen normen hield. Dat kon door provocaties eenvoudig worden aangetoond. Ze gingen daarmee een stap verder dan de nozems, die provoceerden uit een niet nader omschreven onbehagen. Met Robert Jasper Grootveld, de 'antirookmagiër', als joker en Roel van Duijn als meer politiek ingestelde leider van de stadsguerrilla werd in Amsterdam met succes het gezag getart, met als hoogtepunten de rellen rond het beeld van het Lieverdje en rond het huwelijk van Beatrix en Claus.

Provo's en hippies wekten niet alleen irritatie bij het gezag. Nozems als Jan Cremer zagen in provo's 'verwende jongetjes die op kosten van Pa dagenlang agentje gingen pesten'. Hippies droegen 'van die rare kleren en luisterden naar Indiaas gejengel [...] je ging over je nek van de hasjlucht', aldus Cremer.

Toch had de subcultuur enige tijd vrij veel invloed: veel mensen

Een van de protestuitingen van de provo's was de uitgave van *De Teleraaf*, een in stijl en formaat met de *De Telegraaf* overeenkomende persiflage op deze krant. *De Teleraaf* is drie à vier keer verschenen en werd op straat uitgevent, totdat de exemplaren in beslag werden genomen. *De Telegraaf* werd op de hak genomen naar aanleiding van uitspraken in deze krant over het programma *Zo is het toevallig ook nog 's een keer*.

Happenings rond het Lieverdje, een geschenk van een sigarettenfabrikant aan de stad en volgens anti-rookmagiër Robert Jasper Grootveld het symbool van de verderfelijke consumptiemaatschappij.

lieten hun haar groeien en droegen rare kleren. Want de mode was natuurlijk een list van de consumptiemaatschappij. De rommelmarkt werd een belangrijke inspiratiebron: flodderige kleren namen de plaats in van strakke korte rokken – gezien het gemiddelde postuur een uitkomst voor veel meisjes. 'Flower power' was een zomer lang het antwoord op alles. 'All you need is love' zongen de Beatles in juni 1967, rechtstreeks in alle huiskamers van Europa. Veel popmuziek was die zomer voorzien van exotische fluitjes en het geluid van sitar en vervormde elektrische gitaren. De mooiste Nederlandse flower power-hit was weer van Armand: 'Blommenkinders'. ('Mensen met bloemen in hun haar, wat vreemd, zegt de misselijk makende middenstand ...')

Maar de flower-power verloor spoedig zijn aantrekkingskracht, en eigenlijk leek er niet zo gek veel veranderd. Een van de grootste successen van de jaren zestig was het lied 'Waarom heb jij me laten staan', van de Heikrekels, die in populariteit echter nog werden overtroffen door Heintje, de nachtegaal van Bleijerheide. Van diens plaatje 'Mama' werden twintig miljoen exemplaren verkocht.

Veel Nederlanders volgden het hippiedom tandenknarsend en met jeukende handen. Toen de burgemeester van Amsterdam (Samkalden) in augustus 1970 na veel aandringen had besloten het slapen op de Dam te verbieden kon een honderdtal mariniers zich niet langer bedwingen. Op eigen initiatief besloten ze de Dam 'schoon te vegen'. Met knuppels, loden pijpen en koppelriemen werd het langharig tuig weggemept, terwijl de politie toekeek.

Veel ophef was er rond *Hoepla*, een tegendraads jongerenprogramma ('bont, snel en flitsend als het leven zelf') dat Hans Verhagen, Wim Schippers en Wim van der Linden maakten voor de VPRO. In de tweede aflevering, in oktober 1967, verscheen eerst een mediterende Zen-boeddhist in beeld, maar daarna een blonde juffrouw die voorlas uit *Het Vrije Volk*, waarin werd bericht dat Phil Bloom in deze uitzending van *Hoepla* niet naakt zou verschijnen. Vervolgens vouwde ze de

144

krant op. Intussen zoomde de camera uit, en bleek de lezende jonge dame de blote Phil Bloom te zijn. Ze keek de kijker recht in de ogen, terwijl over het beeld het adres van de VPRO werd geprojecteerd. Voor de opzeggingen. Felle reacties in de kranten, vragen in de Tweede Kamer. Zelfs de buitenlandse pers besteedde aandacht aan het optreden van Phil Bloom. *Hoepla* haalde drie afleveringen en kostte de VPRO vijfduizend leden. Een herhaling van het 'Hoepla-effect' werd bereikt met de *Barend Servet Show*, een uiterst melig programma, waarin Barend Servet en zijn kornuiten Fred Haché en Sjef van Oekel voortdurend in de poep trapten en moesten braken. Een hele generatie scholieren adopteerde hun stopwoorden 'pollens', 'prima de luxe' en 'reeds'. In de uitzending van 14 december 1972, zoals altijd ruim voorzien van blote meiden, had Barend Servet een gesprek met een sterk op koningin Juliana lijkende mevrouw die intussen spruitjes aan het schoonmaken was. De VPRO kreeg drieduizend opzeggingen, een hele stapel anonieme dreigbrieven, een drol in een envelop en een officiële berisping van de minister.

Henk van der Meyden vroeg zich in *De Telegraaf* af 'welke verziekte geesten het zijn die deze walgelijke, stinkende vertoning maken'.

Televisie: meer vermaak

Hoewel er regelmatig ophef over ontstond werden van de VPRO-programma's behalve de *Barend Servet Show* alleen de uitzendingen van het *Simplistisch Verbond* veel bekeken. Gewoonlijk keek slechts een kleine minderheid naar de VPRO. (De vaste donderdagavond van de VPRO haalde in 1975 een kijkdichtheid van niet meer dan zes procent.) De rest van Nederland keek gewoon naar *Peyton Place*, *Rawhide* en *de Wrekers,* en naar gezellige programma's als *Voor de vuist weg*, *Zeskamp* of *Een van de acht*. Het spelletjesprogramma *Een van de acht*, gepresenteerd door Mies Bouwman, haalde in 1973 een kijkdichtheid en waarderingscijfers die vergelijkbaar waren met

Bij blz. 144:
'Lieverdje voor 't Lieverdje' – een geruchtmakende foto. Op 16 maart 1967 poseerde het Haagse model Phil Bloom op uitnodiging van fotograaf Peter Dicampos als symbool voor de Flower Power voor het Lieverdje te Amsterdam. Het literaire fototijdschrift Gandalf *publiceerde de foto op het omslag, maar legpuzzels en ansichtkaarten met dezelfde afbeelding werden om commerciële en moralistische redenen door de grote tijdschriftendistributeurs geboycot en waren slechts bij enkele, zeer vooruitstrevende boekhandelaren te koop. Zeven maanden na de fotosessie verscheen de 'Ster van het Spui' naakt in het VPRO-programma* Hoepla *en werd daardoor kortstondig wereldberoemd.*

145

Een hoogtepunt in de Nederlandse drama-produktie was Ja zuster, Nee Zuster. *In het midden zitten Zuster Clivia (Hetty Blok) en Gerrit (Leen Jongewaard).*

die van Toon Hermans halverwege de jaren zestig. Dergelijke cijfers werden in het begin van de jaren zeventig verder alleen gehaald door de reportages van de Europa Cup-finales van Ajax en door de tv-versie van *De kleine waarheid*. Een record-waardering haalde de eerste door de televisie geregistreerde oudejaarsconference van Wim Kan in 1973.

De jeugd keek zo nu en dan naar iets aardigs van Nederlandse makelij (*Ja zuster, nee zuster*), maar toch vooral naar *Flipper*, *Lassie* en *Batman*. Sinds 1966 was er reclame op de tv en de Tros had een zendmachtiging gekregen binnen het bestaande omroepbestel. De nieuwe omroep begon in oktober 1965 met drie uur radio en één uur televisie per week. *Rintintin* en *Mr. Ed het sprekende paard* keerden terug, en er kwam veel vergelijkbaars bij, want de Tros groeide razendsnel. In het najaar van

1967 meldden zich wekelijks duizend nieuwe leden aan, en in 1974 was de A-status (meer dan vierhonderdduizend leden) bereikt.

In het inmiddels open bestel had ook de Evangelische Omroep zendtijd weten te veroveren. Hoewel vele gelovigen meenden dat de televisie in het christelijke gezin niet thuis hoorde omdat hij was geannexeerd 'door hen die zich geheel in dienst stellen van de vorst der duisternis', waren er toch voldoende leden bijeengebracht voor een zendmachtiging. Die konden zich in het vervolg verblijden met een bijbelse quiz.

De kijkers kregen nimmer genoeg van televisie. De gemiddelde kijkdichtheid schommelde halverwege de jaren zeventig tussen de 40 en 45 procent en de waardering lag rond de 70. Vooral op vrijdagavond, als de werkweek erop zat, werd gretig gekeken naar quizzen en spelletjes en grappige bekende Nederlanders. Het ging allemaal ten koste van halma, de radio, de bioscoop en ook de voetbalclubs.

Voetbal: de jaren van Cruijff

Er was zoveel vermaak dat het bezoek aan voetbalwedstrijden begon af te nemen. Voor zover het om wedstrijden van het Nederlands elftal ging was dat begrijpelijk, want daar viel gedurende de jaren zestig weinig plezier aan te beleven. Het belang van wedstrijden tussen nationale elftallen was intussen ook danig afgenomen. Weliswaar speelden in zo'n elftal 's lands beste voetballers, maar omdat die van hun werkgevers, de clubs, zelden de gelegenheid kregen om samen te trainen werd zo'n elftal nooit echt een geheel. Behalve tijdens de eindronden van het wereldkampioenschap stonden 'interlandwedstrijden' daarom in de schaduw van de strijd om de Europa Cup, die in 1955 op initiatief van de Franse sportkrant *L'Equipe* was geïntroduceerd. De jaarlijkse strijd tussen de beste clubs van Europa (de winnaars van de diverse nationale competities) trok volle stadions en kon op de voet worden gevolgd via de televisie. Terwijl het Nederlands elftal steeds opnieuw werd uitgeschakeld, begonnen de clubs in de strijd om de Europa Cup betere resultaten te boeken. Na in 1966 in een mistig Olympisch Stadion al een legendarische 5-1 overwinning op Liverpool te hebben behaald, bereikte Ajax in 1969 als eerste Nederlandse club de finale. Het team, getraind door Rinus Michels, en met in de gelederen spelers als Cruijff, Keizer en Vasovic, was daarin volkomen kansloos tegen het gerenommeerde AC Milan, maar het jaar daarop wist Feijenoord in de finale Celtic te verslaan. Kindvall maakte in de verlenging de winnende goal. Half Rotterdam verdrong zich vervolgens op de Coolsingel om de helden toe te juichen.

Het jaar daarop werd Feijenoord al in de eerste ronde smadelijk

In 1966 behaalde Ajax in een gedenkwaardig mistige wedstrijd een onverwacht ruime overwinning op Liverpool: 5–1.

uitgeschakeld door het Roemeense UT Arad, maar dit keer was het weer Ajax dat de finale bereikte. In het Wembleystadion werd dank zij doelpunten van Dick van Dijk en Arie Haan met 2–0 gewonnen van Panathinaikos. Ook de twee volgende jaren wist Ajax de Europa Cup te winnen, in 1972 door Inter te verslaan, in 1973 door een zege op Juventus.

Het waren de jaren van Johan Cruijff. Cruijff was zeventien toen hij in 1964 in het eerste van Ajax debuteerde, twee jaar later stond hij in het Nederlands elftal. Hij maakte meteen een

In 1970 won Feyenoord onder leiding van coach Ernst Happel het Europacup I-toernooi. De fans stroomden naar de Coolsingel om de winnaars te huldigen. Rinus Israël (l.) en Ove Kindvall dragen de beker.

doelpunt. In zijn volgende interland, twee maanden later, werd hij de eerste speler in de geschiedenis van het Nederlands elftal die uit het veld werd gestuurd. Het jaar daarop werd hij met overmacht topscorer van Nederland. Cruijff groeide uit tot een internationale ster en werd driemaal gekozen tot Europa's beste voetballer van het jaar.

De gloriejaren van het Nederlandse voetbal duurden tot in de zomer van 1974. Met Cruijff (inmiddels spelend voor Barcelona) in de gelederen was het Nederlands elftal er eindelijk in geslaagd door te dringen tot de eindronden van het wereld-kampioenschap. In de voorronden was met enig geluk van België gewonnen en daarna was er voornamelijk gebakkeleid over de honorering, maar tijdens het toernooi bleek het Nederlandse team plotseling bijzonder sterk te spelen. Onder leiding van Rinus Michels werd het zogenaamde 'totaalvoetbal' gepraktiseerd, en dat leidde regelrecht tot een plaats in de finale, op 1 juli in München. De tegenstander daar was West-Duitsland, dat tot dan toe matig had gespeeld. Nederland was favoriet, en het leek een mooie dag te gaan worden toen het al na twee minuten, zonder dat nog een Duitser de bal had aange-raakt, 1–0 werd. Cruijff werd gevloerd door Vogts en Neeskens trapte de penalty keihard in. De Duitsers konden weinig terug-doen, tot Hölzenbein zich liet vallen over het been van Wim

149

Jansen. De toegekende penalty werd ingeschoten door Breitner. Daarna ging het helemaal mis: het werd 2–1 voor de Duitsers en het offensief na de rust leverde niets op. Menig beeldscherm werd verbrijzeld door een pantoffel of een bierflesje en heel Nederland had een kater.

Helden: Jan Janssen, Ard & Kees

In de jaren veertig en vijftig was het wielrennen populair dank zij de krantenverslagen en radioreportages, waarin de 'reuzen van de weg' door de sportjournalisten tot mythische proporties werden opgeblazen. Maar dat soort verslaggeving boette aan betekenis in door de komst van de televisie. Nog niet meteen: aanvankelijk was er van wielerwedstrijden hoogstens een korte flits van de aankomst te zien. Het wedstrijdverloop kon pas in beeld worden gebracht toen men het systeem had ontwikkeld van de rijdende camera die via een helikopter rechtstreekse beelden doorseint. Dat systeem werd voor het eerst toegepast tijdens de klassieker Parijs–Roubaix in 1960. Naarmate er meer wielrennen te zien was, werd de sport interessanter voor het bedrijfsleven. Het waren niet meer alleen fietsenfabrieken die wielerploegen betaalden, er kwamen ook 'extra-sportieve' sponsors. Wielrenners demonstreerden niet langer alleen de kwaliteit van Lokomotief- of Magneetfietsen, maar ook Nivea.

In Nederland waren zulke sponsors er aanvankelijk niet, en alle sterke Nederlandse renners fietsten voor buitenlandse firma's, tot in 1964 het blad *Tele-Vizier* besloot reclame te gaan maken via een wielerploeg. De leiding van het omstreden programmablad koos een even omstreden ploegleider: Pellenaars. Met zijn inmiddels beproefde formule (voortdurend onstuimig aanvallen) waren zijn renners opnieuw succesvol, ook in de Tour, waarin sinds 1962 de landenploegen waren vervangen door gesponsorde 'merkenploegen'. (In dat jaar werden door de Franse televisie voor het eerst dagelijks rechtstreekse uitzendingen verzorgd.) Maar pas toen Pellenaars was uitgerangeerd, in 1968, bereikte een Nederlandse wielrenner het hoogste: de Tour de France werd gewonnen door Jan Janssen, over wie 'de Pel' had beweerd 'als die de Tour kan winnen, kan mijn schoonmoeder het ook'.

In 1968 stond Janssen na de voorlaatste dag tweede in het klas-

Jan Janssen won in 1968 als eerste Nederlander de Tour de France en deelde zijn geluk met zijn dochter Karin.

sement. In de slottijdrit moest hij zestien seconden goedmaken op de Belg Van Springel. Van Springel ging door voor een betere tijdrijder, maar Jan Janssen kon geweldig afzien en wist hem met 54 seconden te verslaan. In Nederland kon men het allemaal rechtstreeks meebeleven, niet alleen via de radio, maar ook via de televisie, die kort daarvoor was begonnen met livereportages. (Aanvankelijk had de Nederlandse televisie geweigerd de rechtstreekse reportages uit te zenden vanwege de nadrukkelijke commercie in de Tour.) Met de tv-camera erbij konden de toeschouwers zelf zien wat er gebeurde, en hoewel dat de helden van weleer terugbracht tot menselijke proporties verminderde de publieke belangstelling niet. Integendeel: heel Nederland zag vertederd toe hoe de Tourwinnaar snikkend historische woorden sprak tot zijn dochtertje: 'Karin, kindje, pappa heeft de Tour gewonnen.'

Groter dan Jan Janssen was Anton Geesink, de Utrechtse zwaargewicht, die als eerste de Japanners wist te verslaan in het judo, en nog wel in het hol van de leeuw, bij de Olympische Spelen in Tokio. Minstens zo populair was Ada Kok, de reusachtige zwemster, die tijdens de olympiade van 1968 de Amerikaanse en Oosteuropese concurrentie wist af te troeven op de 200 meter vlinderslag. Maar de grootste helden waren toch de schaatsers.

Ard Schenk en Kees Verkerk, de schaatshelden van de jaren zestig.

In de strenge winter van 1962–'63 werd een heroïsche editie van de Elfstedentocht verreden, de zwaarste aller tijden. Slechts 127 deelnemers volbrachten de tocht. Winnaar Reinier Paping bleef net binnen de 11 uur en was daarmee nog langzamer dan de winnaar van de barre tocht van 1947. Met de Elfstedentocht was het daarna voor lange tijd afgelopen, maar de schaatssport bereikte een ongekende populariteit dank zij de opkomst van de Nederlandse langebaanschaatsers. In 1961 werd Henk van der Grift wereldkampioen en tijdens de Olympische Winterspelen van 1964 won de jeugdige Kees Verkerk ('de kasteleinszoon uit Puttershoek') een zilveren medaille op de 1500 meter. Maar de definitieve doorbraak kwam bij de Europese kampioenschappen van 1966, die werden gehouden op de eerste Nederlandse kunstijsbaan, in Deventer. De tribunes zaten stampvol, en wie er niet bij was keek naar de rechtstreekse reportage van de NTS, van commentaar voorzien door Bob Spaak. De kijkdichtheid was 75,1 procent. Ard Schenk werd kampioen, maar de held van de dag was Kees Verkerk, die op de tien kilometer onmogelijk geachte rondetijden reed, tot hij onderuit schoof, in de zak-

ken voor het Neveda-reclamebord. Hij stond meteen weer overeind en slaagde er, onder donderend applaus, nog in om een
Nederlands record te rijden.

Het was het begin van het Ard & Keesie-tijdperk, dat eindigde
bij de Olympische Winterspelen van 1972, met drie gouden
medailles voor Ard Schenk. Daarna probeerden de schaatsers of
ze aan hun populariteit niet iets zouden kunnen verdienen, net
als voetballers en fietsers, maar hun experiment met het profes-

*Topjaar voor Sjoukje
Dijkstra was 1964 toen zij
zowel het Europese als het
wereldkampioenschap
won en een Olympische
medaille behaalde.*

153

sionele schaatsen mislukte. Het onontbeerlijke 'Nederland spreekt een woordje mee'-effect ontbrak.

Veranderende zeden

Terwijl Nederland eendrachtig juichte voor Schenk, Verkerk en Bols bleven de normen in hoog tempo vervagen. Dat geschiedde uiteraard niet zonder weerstand, en met name waar het de seksuele mores betrof werd het zedenverval nog actief bestreden. De voorzitter van de KRO verhinderde in 1965 bijvoorbeeld de uitzending van een programma over geboortenregeling. 'We moeten bedenken dat de katholieke Nederlanders voor een groot percentage nu eenmaal hebben geleerd,' zei hij, 'dat wat de geboortenregeling betreft – en aanvankelijk dan nog alleen onder bijzondere omstandigheden – slechts de periodieke onthouding kon worden gehanteerd. Ik vind het heel begrijpelijk als nog vele van deze katholieken zouden zeggen: wij hebben van onze kerkelijke leidsmannen nog niet vernomen dat ook andere middelen zouden kunnen worden gebruikt.'

Tijdschriften als *Gandalf*, *Chick* en *Candy* werden regelmatig door justitie in beslag genomen. Nog in 1971 werden de foto's in *Gandalf*, 'ieder voorstellende een naakte althans gedeeltelijk ontklede vrouw', aanstootgevend geacht. De eis van de officier van justitie, honderd gulden boete voor de uitgever, werd door de Amsterdamse rechtbank echter afgewezen omdat het blad 'in het licht van de thans geldende opvattingen niet aanstotelijk is voor de eerbaarheid'.

Er kon steeds meer. De musical *Hair* mocht. De film *Les amants*, drie keer afgekeurd, mocht in 1968. Toen dat jaar een film met naakt werd goedgekeurd zei de directeur van de Algemene Centrale Commissie voor de Filmkeuring: 'Ik kan U wel verzekeren dat deze goedkeuring er drie jaar geleden niet doorgekomen zou zijn. Naaktheid in de film was kortgeleden taboe. Nu niet meer, mits de opnamen decent zijn.'

In *Blue Movie* van Pim de la Parra en Wim Verstappen waren de opnamen niet zo heel erg decent. De filmkeuring zag 'zeer

154

schokkende beelden van paring en geslachtsorganen'. In eerste
instantie werd vertoning daarom verboden, maar in 1971 werd
hij toch toegestaan, vanwege de 'intelligente en genuanceerde
benadering van de sexualiteit'. Daarna volgde *Turks fruit*. De
Avro knipte in de beelden die op de tv werden vertoond, maar
meer dan drie miljoen mensen bezochten de bioscoop om alles
te zien.

Vanaf de zomer van '71 verschenen er kranteberichten over het
verbaliseren van mensen die zich naakt op het strand bevonden.
In de jaren vijftig waren er al naturisten op stille stukjes strand,
maar niemand stoorde zich aan hen. Aan het einde van de jaren
zestig was het aantal blote badgasten echter toegenomen. Hun
gedrag was vrijmoediger geworden, en ze kwamen meer in contact met andere recreanten. Er werd een proefproces uitgelokt
waarbij twee gearresteerden die zich geheel ontkleed op het
openbare zeestrand te Callantsoog hadden opgehouden niet
werden veroordeeld. De zaak leidde, ondanks protest van een
gedeelte van de lokale bevolking dat de naam van het dorp
ongaarne te grabbel gegooid zag, in 1973 tot de instelling van
een officieel stuk naaktstrand bij St. Maartenszee.

Langzaam maar zeker werd de seksuele moraal wat losser. Toen in 1973 de film Naakt over de schutting *werd uitgebracht met in de hoofdrol Sylvia Kristel, was van opschudding nauwelijks meer sprake.*

155

Tegen de aanvankelijke verwachtingen in was de wereld na alle roerigheid niet teruggekeerd in zijn oude staat, en veel van wat de rebelse jeugd had geëntameerd was inmiddels overgenomen door andere groepen. Niet dat de consumptiemaatschappij in brede kring werd verworpen, maar de zeden waren onmiskenbaar veranderd. Het was te merken aan uiterlijkheden. Er werden nog wel jongens van school gestuurd wegens lang haar en meisjes vanwege het dragen van hot pants, maar leraren droegen inmiddels ribfluwelen jasjes. De spijkerbroek raakte gearriveerd. En dames droegen 'broekpakken'.

Popmuziek was algemeen geaccepteerd geraakt sinds de Beatles keurige jongens waren gebleken die niet alleen 'yeah yeah yeah' konden zingen, maar ook nummers als 'Yesterday'. Sommige jongeren namen hun ouders mee naar popconcerten; het hele gezin keek eendrachtig naar *Toppop*. Hilversum 3 werd omgevormd tot een zender die geheel was gewijd aan popmuziek. (De illegale zender Veronica werd in 1974 definitief uit de lucht gehaald.) Vrijwel alle jonge mannen hadden lang haar, zelfs in het leger, al was daar verbitterde strijd over gevoerd. Omdat hij weigerde zijn haar te laten knippen werd de Haagse soldaat Rinus Wehrmann in '71 nog door de krijgsraad veroordeeld tot twee jaar gevangenisstraf. Door het Hoog Militair Gerechtshof werd de straf later teruggebracht tot een week, en uiteindelijk mochten ook soldaten hun haar laten groeien.

Dat kon allemaal maar. Zelfs braken in een fietstas te midden van halfnaakte meisjes rond een kerststalletje - de *Barend Servet Kerstshow* van '73 - was voor de regering geen aanleiding meer tot het nemen van stappen.

VI. Crisis en kritiek van de verzorgingsstaat

1973 - 1993

Het kabinet-Den Uyl.
Grenzen aan de groei

Op 11 mei 1973 werd het kabinet-Den Uyl beëdigd. In dat kabinet hadden tien progressieve ministers zitting en slechts zes confessionele. Voor het eerst in de geschiedenis had Nederland een echt links kabinet. De polarisatiestrategie van de PvdA leek een groot succes te zijn geworden, omdat de drie confessionele partijen tijdens de hardhandige formatie door J.A.W. Burger uiteen waren gespeeld. De behoudende CHU was in het kabinet niet vertegenwoordigd. Nu zou eindelijk een begin kunnen worden gemaakt met de hervorming van de samenleving, die eigenlijk in de jaren zestig al aangepakt had moeten worden. Dit onverdacht progressieve kabinet zou gaan zorgen voor de recht-

De oliecrisis dwong de Nederlandse overheid tot tijdelijke invoering van de autoloze zondag. Het prachtige Nederlandse wegennet lag er zodoende verlaten bij. In de steden was het stil en rook het fris.

vaardige spreiding van kennis, inkomen en macht. De omstandigheden waren gunstig; in het eerste halfjaar van 1973 was het met de conjunctuur zonnig gesteld.

Achteraf is duidelijk dat het kabinet-Den Uyl op enigszins tragische wijze te laat is gekomen. Een paar maanden nadat het nieuwe kabinet zijn mooie voornemens had geformuleerd, manifesteerde zich de oliecrisis en raakte de wereldeconomie in de eerste ernstige recessie sedert de Tweede Wereldoorlog. Den

158

Uyl begon te hervormen op het moment dat het conjuncturele tij voor hervormingen, zowel in cultureel als economisch opzicht, begon te verlopen.

De oliecrisis trof de westerse economieën in een situatie waarin eigenlijk al van alles mis was. Er was een forse inflatie en de ontkoppeling van dollar en goud in de zomer van 1971 had een einde gemaakt aan het systeem van vaste wisselkoersen dat zolang had gezorgd voor een betrouwbare monetaire orde. In Nederland liepen de investeringen al sinds 1970 terug en nam de werkloosheid toe. De explosieve stijging van de prijzen van energie en grondstoffen, die door de oliecrisis werd veroorzaakt, maakte een einde aan de snelle expansie van de wereldhandel, waarvan ook Nederland in hoge mate had geprofiteerd. De Nederlandse economie bleek bovendien uiterst kwetsbaar voor de oliecrisis, omdat de petrochemische industrie in Nederland zo'n belangrijke rol speelde.

Doordat de hele samenleving, en in het bijzonder de overheid, zich had ingesteld op een jaarlijkse, forse economische groei, leidde de economische stagnatie van de jaren zeventig tot permanente begrotingsproblemen. De overheid moest meer uitgeven dan zij begroot had en ontving minder belastinginkomsten. Het gevolg was een min of meer eindeloos debat over de noodzakelijke bezuinigingen, die steeds te laat kwamen en te gering in omvang waren.

Aangezien niemand zich aanvankelijk realiseerde hoe ernstig de economische trendbreuk van 1973–'74 was, deed ook het kabinet-Den Uyl dat niet. Het kabinet ging uit van de gedachte dat er slechts sprake was van een normale conjuncturele terugslag, die het beste bestreden kon worden door de economie te stimuleren. Dat stimuleringsbeleid kon mooi gecombineerd worden met de maatschappijhervorming die het kabinet op het oog had. Zodoende voerde het kabinet in de eerste twee jaren van zijn bestaan een zeer expansief begrotingsbeleid en besloot het de uitkeringen en het minimumloon flink te verhogen. In 1975 groeide het aandeel van de rijksuitgaven in het nationaal inkomen met liefst zes procent.

159

Een navenante stijging van de belastingen was niet noodzakelijk, omdat de expansie grotendeels betaald kon worden uit de baten van het Nederlandse aardgas, dat door de stijging van de olieprijzen (de gasprijs is gekoppeld aan de olieprijs) plotseling veel meer opbracht. Aan het eind van de jaren zeventig werd zelfs zo'n vijftien procent van de rijksbegroting gefinancierd met de aardgasbaten. Zo leek het in eerste instantie of de oliecrisis voor Nederland een financiële zegen was, maar dat zou uiteindelijk allerminst het geval zijn.

Het expansieve beleid van het kabinet werd versterkt doordat

29 mei 1973. Minister-president Joop den Uyl legt de regeringsverklaring af in de Tweede Kamer.

krediet in de jaren zeventig ruim voorhanden was. Er was ook alle reden voor particulieren en bedrijven om dat krediet op te nemen, omdat de reële rente lange jaren negatief was; dat wil zeggen dat het inflatiepercentage hoger was dan de rente. Het consumptief krediet groeide van een miljard gulden in 1970 tot 7,8 miljard in 1978. Hypotheken waren eveneens zo ruim voorradig dat in de huizenkoop en -verkoop een ware speculatieve hausse ontstond. Door flink te verhuizen kon de brave burgerij in de jaren zeventig slapende rijk worden. En zoals bij elke speculatieve hausse kon niemand zich voorstellen dat deze paradijselijke toestand niet eeuwig zou duren. Het bedrijfsleven liet zich evenmin onbetuigd. Het leende op grote schaal en zou daar

160

verschrikkelijk voor gestraft worden toen het in het begin van de jaren tachtig werkelijk grondig mis ging met de economie.

Met behulp van de aardgasbaten, de groei van het krediet en het beleid van de regering-Den Uyl leek het in Nederland in de jaren zeventig nog niet eens zo slecht te gaan. De economische groei was natuurlijk niet meer wat zij geweest was, maar er was meer groei dan in andere landen en de werkloosheidssituatie was ook beter dan elders. Hoe aardig dit ook leek, de sterke groei van de consumptie verhulde dat de structurele defecten van de Nederlandse economie door het gevoerde beleid werden verergerd. Door de handhaving van de automatische prijscompensatie (lonen jaarlijks automatisch aangepast aan de inflatie) en de koppeling van de uitkeringen aan de lonen, bleven de loonkosten in Nederland gestaag stijgen, zodat het loonniveau ten slotte flink boven het Europese gemiddelde lag. Tegelijkertijd zorgde de export van aardgas voor een schijnbaar gezonde betalingsbalans en dus voor een harde, dure gulden.

Het gevolg van de hoge loonkosten en de dure gulden was dat de groei van de Nederlandse export achterbleef bij de groei van de wereldhandel, die zich toch al niet erg voorspoedig ontwikkelde. De investeringen en de rendementen van het bedrijfsleven bleven dalen. Voor het winstinkomen bleef in de Nederlandse volkshuishouding uiteindelijk vrijwel niets over, alles werd opgeslokt door de steeds stijgende lonen. Daarbij kwam nog dat het politieke klimaat de ondernemers niet welgezind was. Ondernemers waren in de jaren zeventig verdachte lieden, die per definitie handelden in strijd met het algemeen belang. De minister-president verklaarde bij herhaling dat de investeringsbeslissingen 'vermaatschappelijkt' moesten worden, waarmee hij bedoelde dat de politiek eigenlijk zou moeten bepalen welke investeringen wel en welke niet noodzakelijk waren.

Dat leidde ertoe dat de directeuren van de tien grootste ondernemingen in Nederland in 1976, tot grote verontwaardiging van progressief Nederland, een wanhopige brief aan Den Uyl schreven, waarin zij hun beklag deden over het belabberde investe-

Een somber gestemde minister-president Den Uyl kondigde eind 1973 de benzinedistributie aan. 'Dat betekent dat voor het eerst sinds de oorlog een jonge generatie zal kennismaken met distributie en schaarste.' Elders stelde hij dat de mensen zich blijvend zouden moeten instellen 'op levensgedrag met zuiniger gebruik van grondstoffen en energie. Daardoor zal ons bestaan veranderen. [...]

Maar ons bestaan hoeft er niet ongelukkiger op te worden.' De economische crisis mocht dan ernstiger zijn dan men aanvankelijk dacht, de benzinebonnen die veel mensen zich in allerijl aanschaften zouden niet lang dienst hoeven te doen.

ringsklimaat in Nederland. Ze hadden gelijk, maar ze kregen het in 1976 niet. Hoe zwak de economische positie van Nederland in feite was, zou pas blijken in 1979, toen de tweede oliecrisis de Nederlandse economie een klap uitdeelde, die haar gedurende enige jaren in een toestand van halve bewusteloosheid bracht.

Na twee jaar van driftige expansie kwam het kabinet-Den Uyl tot de conclusie dat de financiële mogelijkheden niet onbeperkt waren en dat het wat kalmer aan moest doen. De minister van financiën formuleerde een bescheiden bezuinigingsprogramma; het eerste van een lange en bonte reeks van weinig effectieve goede voornemens, die het politieke debat vanaf halverwege de jaren zeventig tot op de dag van vandaag hebben beheerst. Het programma van Duisenberg, de zogenaamde één procent-operatie, was welbeschouwd helemaal geen bezuinigingsprogramma maar een matigingsprogramma. Het kabinet nam zich voor de groei van de overheidsuitgaven als deel van het nationaal inkomen te beperken tot één procent per jaar.

Ook ten aanzien van de maatschappijhervorming kwamen de grenzen in de latere jaren van het kabinet-Den Uyl snel in zicht. Het kabinet had vier belangrijke 'maatschappijhervormende voorstellen' geproduceerd. Het betrof wetsontwerpen over de vermogensaanwasdeling, de ondernemingsraden, de investeringsrekening en de grondpolitiek. De PvdA en de PPR hadden verklaard loyale medewerking van de confessionelen aan deze vernieuwende voorstellen te beschouwen als een toetssteen voor de blijvende, produktieve samenwerking tussen progressieven en confessionelen. De toetssteen bracht aan het licht dat het progressief gehalte van de confessionelen onvoldoende was.

Midden februari 1977 meldde vice-premier Van Agt dat hij niet akkoord kon gaan met het wetsvoorstel over de grondpolitiek. Volgens dit voorstel zou eventuele onteigening van grond tegen gebruikswaarde plaatsvinden, wat een deel van de confessionele achterban veel geld zou kunnen kosten. De confessionelen vonden dat het wetsontwerp ook rekening zou moeten houden met de marktwaarde van de grond. Men kon het hierover niet eens worden en het kabinet bood op 22 maart zijn ontslag aan de koningin aan, twee maanden voor de verkiezing van een nieuwe Tweede Kamer. Op de valreep bezweek het kabinet aan de tegenstellingen die het sinds zijn ontstaan met zich mee had gesleept.

Het tweede kabinet-Den Uyl gaat niet door

Bijna werden de verkiezingen nog uitgesteld omdat Zuid-Molukkers op 23 mei, twee dagen voor de verkiezingen, een trein kaapten en een lagere school bezetten. Uitstel bleek te gecompliceerd en daarom verklaarde het kabinet dat de democratie nooit zou wijken voor terroristische acties. Het meest opvallende aspect van de verkiezingsuitslag was in eerste instantie ongetwijfeld de gigantische winst (negen zetels) van de PvdA.

Jonge Molukkers kaapten in mei 1977 een trein bij De Punt om aandacht te vragen voor de vergeten zaak van de Molukse republiek.

163

Kies de minister-president

Den Uyl lijst 2

PvdA

Verkiezingsaffiche PvdA in 1977.

De PvdA had de campagne gevoerd onder het motto: 'kies de minister-president' en dat hadden de kiezers kennelijk gedaan. Den Uyl leek een mandaat te hebben om de spreiding van kennis, inkomen en macht voort te zetten.

De onverwacht grote winst maakte de socialisten echter overmoedig. Dit was de ideale gelegenheid om de confessionelen duidelijk te maken wie de macht had. Tijdens de langdurige formatiebesprekingen werden de confessionelen daarom bij herhaling nodeloos geschoffeerd.

Na eindeloos touwtrekken mislukte de formatie. Zij kon ook mislukken, want er was een alternatief. Wat in de opwinding over de negen zetels winst door de socialisten al te gemakkelijk was vergeten, waren de aanzienlijke winst van de VVD (zes zetels) en het feit dat de confessionelen gezamenlijk hadden geopereerd.

In 1973 hadden de drie confessionele partijen besloten samen te gaan in het Christen Democratisch Appel (CDA). Bij de verkiezingen van 1977 kwamen zij met één lijst en één lijsttrekker. In 1980 fuseerden de drie partijen. Het gezamenlijk optreden maakte een einde aan het permanente, deprimerende electorale verlies van de confessionelen. Het CDA won in 1977 één zetel. Het CDA en de VVD hadden samen 77 zetels, voldoende voor een Kamermeerderheid. En wie de meerderheid heeft mag nu eenmaal regeren in een democratie. Van Agt en Wiegel gingen samen gezellig eten bij Le Bistroquet en zo ontstond wat niemand aanvankelijk voor mogelijk had gehouden: het eerste kabinet-Van Agt. Tegen dit kabinet voerde de PvdA een polariserende en verongelijkte oppositie, omdat zij zichzelf wenste te beschouwen als de ware vertegenwoordigster van het Nederlandse volk.

Deze opstelling was onzinnig en een miskenning van de werkelijke politieke krachtsverhoudingen. Tijdens de jaren van het kabinet-Den Uyl leek het misschien of links in de meerderheid was (en het had natuurlijk de meerderheid in het kabinet), maar dat was helemaal niet zo. Links heeft in Nederland nooit een meerderheid gehad. De grote winst van de PvdA in mei 1977

Wiegel en Van Agt konden het uitstekend met elkaar vinden.

was schijnwinst, aangezien zij precies gelijk was aan het grote verlies van de kleine linkse partijen. De belangrijkste politieke ontwikkelingen van de jaren zeventig waren de winst van de liberalen, die veel meer profiteerden van het stemmenverlies van de confessionelen dan de PvdA, en de vorming van het CDA. De vorming van het CDA was deels het gevolg van de polarisatie-strategie van de PvdA en van de traumatiserende formatie van het kabinet-Den Uyl, waarbij de confessionelen verdeeld waren geraakt. Dat, zo besloten zij, zou nooit meer gebeuren. Het merkwaardige kabinet-Den Uyl, met zijn tegennatuurlijke linkse meerderheid, leek een groot succes voor de PvdA, maar was op lange termijn een politieke ramp voor de socialisten.

De bedoeling van de polarisatiestrategie was een tweedeling in de Nederlandse politiek te bewerkstelligen, met een conservatief en een progressief blok, zodat steeds een duidelijke politieke keuze voorhanden was. Die strategie moest wel mislukken, omdat in de Nederlandse politieke verhoudingen zo'n tweede-ling niet mogelijk was. De confessionele partijen, hoe zwaar ook aangeslagen door de enorme verliezen van de late jaren zestig en de vroege jaren zeventig, zaten in het centrum en lieten zich niet opsplitsen in progressieve en conservatieve confessionelen.

De traditionele politieke verhoudingen bleven dus bestaan, ondanks alle politieke rumoer van de jaren zestig. De confessio-nelen beheersten het politieke centrum, zeker na de vorming van

Minister van economische zaken R.F.M. Lubbers nam in 1977 een penalty voor het CDA.

het CDA, en bepaalden of zij met links of met rechts wilden regeren.

Sociaal-culturele heroriëntatie

Minstens even belangrijk voor de loop van de politieke gebeurtenissen in de late jaren zeventig en de jaren tachtig als deze constanten in de Nederlandse politieke verhoudingen, was de intellectuele klimaatsverandering die zich in de late jaren zeventig voltrok. De PvdA mocht dan afhankelijk zijn van de goedgunstigheid van de confessionelen, zij beheerste na de oorlog wel het politieke debat. Zeker onder de spraakmakende gemeente waren de sociaal-democratische opvattingen dominant. Ideeën en beleidsvoorstellen van de PvdA werden vaak na een paar jaar overgenomen door de andere politieke partijen. Den Uyls blauwdruk voor de uitbouw van de verzorgingsstaat, het rapport *Om de kwaliteit van het bestaan*, werd tot op zekere hoogte door confessioneel-liberale kabinetten ten uitvoer gebracht.

Aan die leidende functie in het politiek-intellectuele verkeer kwam in de late jaren zeventig een eind. Het traditionele sociaal-democratische gedachtengoed was in deze jaren aan sterke

Ook de Nederlandse politiek raakte in toenemende mate in de greep van het mediacircus. De populistische conservatief Wiegel wist de media in de jaren zeventig knap te bespelen.

slijtage onderhevig. Dat was onder meer het gevolg van het feit dat veel sociaal-democratische plannen in de jaren vijftig, zestig en zeventig gerealiseerd waren en nu een reeks van onvermoede negatieve neveneffecten veroorzaakten. De automatische prijs-compensatie en de koppeling van lonen en uitkeringen, zaken die voor de PvdA zo belangrijk waren dat afschaffing onbe-spreekbaar was, bevorderden de inflatie en hielden de loonkos-ten hoog. De snel stijgende uitgaven voor gezondheid en welzijn maakten de Nederlanders niet gezonder en gelukkiger.

De sociaal-democraten hadden altijd gedacht dat de overheid de eerstaangewezene was om de maatschappelijke problemen aan te pakken en op te lossen. In de loop van de jaren zeventig werd steeds duidelijker dat de overheid daartoe lang niet altijd in staat was. Was de sterk gegroeide overheidsbureaucratie, die op allerlei terreinen een trage en ondoorzichtige besluitvorming ten gevolge had, eigenlijk niet zelf tot een maatschappelijk pro-bleem geworden, zo vroegen velen zich af. Bovendien stuitten klassieke beleidsvoornemens van de sociaal-democraten als her-verdeling van het nationaal inkomen en uitbreiding van de sociale verzekeringen op grotere weerstanden op het moment dat de snelle economische groei van de jaren vijftig en zestig begon te haperen.

De kritiek op de wildgroei van de moderne verzorgingsstaat gaf aanleiding tot de formulering van neoliberale, jazelfs neoconser-vatieve ideeën. De overheid, zo betoogden de neoconservatie-ven, moest teruggedrongen worden, de markt hersteld en de belastingen verminderd. Van vermaatschappelijking van de investeringsbeslissingen kon al helemaal geen sprake zijn. Integendeel, het bedrijfsleven moest zoveel mogelijk bevrijd worden van allerlei knellende overheidsbepalingen en overheids-bedrijven moesten verkocht worden. Deregulering en privatise-ring waren de motto's van de jaren tachtig. Met zo'n neoconser-vatief politiek programma ging Margaret Thatcher in 1979 in Engeland aan de slag en Ronald Reagan in 1981 in de Verenigde Staten. In Nederland is nooit sprake geweest van een als zodanig beschreven en duidelijk uitgewerkt neoconservatis-

Het Interkerkelijk Vredesberaad gaf in Nederland leiding aan het verzet tegen de plaatsing van nieuwe kernwapens. Tot tweemaal toe wist deze beweging bijna een half miljoen demonstranten op de been te brengen, maar de regering besloot ten slotte toch tot plaatsing.

me. Toch waren er ook in Nederland steeds meer mensen die van mening waren dat de overheid op zijn minst pas op de plaats moest maken en dat de positie van het bedrijfsleven versterkt moest worden. De PvdA wees deze intellectuele kentering van de hand en bleef vasthouden aan haar traditionele uitgangspunten. Bij het kader van de partij was eerder sprake van radicalisering dan van bezinning. Zo raakte de partij in toenemende mate in een politiek-cultureel isolement.

Nadat de Navo-landen eind 1979 besloten hadden tot vernieuwing van de nucleaire wapens voor de middellange afstand (kruisraketten en Pershing II) beet de partij zich vast in een absolute afwijzing van de plaatsing van deze nieuwe wapens in Nederland. Van groot politiek belang was die plaatsing niet. De PvdA, verontwaardigd en gefrustreerd in haar politiek isolement, gebruikte de plaatsing als een symbolisch strijdpunt om heel links Nederland te mobiliseren tegen de arrogante politieke reactie die volgens haar in 1977 de macht had gegrepen. Het buiten alle proporties opblazen van deze kwestie duidde op grote politieke verwarring en ernstige ideologische armoede. Onder verwijzing naar het onvoorwaardelijke nee tegen de kruisraketten kon het CDA de PvdA in de jaren tachtig politiek steeds gemakkelijk buiten spel zetten. Alle opwinding over de plaatsing heeft de PvdA ten slotte helemaal niets opgeleverd.

Overgangsjaren

In december 1977 trad het kabinet-Van Agt aan, na 272 dagen van kabinetscrisis en 208 dagen van formatieperikelen. Het kabinet zei van plan te zijn de inflatie te bestrijden, de positie van het bedrijfsleven te versterken en het bezuinigingsbeleid geïntensiveerd voort te zetten. Het kwam na enige tijd met een eigen bezuinigingsprogramma, Bestek '81 genaamd. De voornemens waren mooi en het kabinet liet ook daadkrachtige geluiden horen. Het puin dat het kabinet-Den Uyl had achtergelaten, zo zei Wiegel, vice-premier en minister van binnenlandse zaken, zou nu geruimd worden.

168

De bezuinigingen werden echter meer op papier dan in werkelijkheid gerealiseerd. In plaats van dat er puin werd geruimd, werd de puinberg nog veel groter gemaakt. Het was tijdens de bestuursjaren van de kordate puinruimers dat het financieringstekort van de overheid verdubbelde (van 4,2 procent in 1978 naar 8,2 procent in 1982). Voor Andriessen, de minister van financiën, was wel duidelijk hoe snel de toestand verslechterde. Hij wilde veel meer bezuinigen, maar het kabinet durfde dat niet aan. Andriessen trad begin 1980 af en de VVD, al jaren de kampioen van het bezuinigingsbeleid, bleef rustig in het kabinet zitten.

Nadat al in 1978 de speculatie in huizen was ingezakt (waardoor allerlei mensen met veel te hoge hypotheeklasten jarenlang armoede moesten lijden in veel te dure huizen), werd Nederland in 1979 getroffen door de tweede oliecrisis en in de daaropvolgende jaren door de wereldwijde economische recessie van 1980, 1981 en 1982. De resultaten waren ronduit rampzalig.

De strakke, monetaristische bestrijding van de inflatie (beheersing van de geldhoeveelheid) waartoe men allerwegen overging, veroorzaakte een scherpe stijging van de reële rente. Dat had tot gevolg dat het Nederlandse bedrijfsleven, dat zoals gezegd in de jaren van het goedkope krediet veel vreemd kapitaal had aangetrokken, plotseling werd geconfronteerd met een aanzienlijke lastenverhoging. Aangezien de rendementen door de aanhoudend hoge loonkosten volledig uitgehold waren en ook de financiële reserves al lang waren verdwenen, waren de gevolgen van de combinatie van hoge rente en recessie noodlottig. Van 1980 tot 1984 gingen 27.000 ondernemingen failliet. Gedurende drie achtereenvolgende jaren daalde de industriële produktie. De werkloosheid steeg van 6,3 procent in 1980 tot 15,4 procent in 1983, een van de hoogste werkloosheidspercentages in Europa.

Had Nederland zich in de jaren zeventig enigszins weten te onttrekken aan de economische stagnatie door het expansieve beleid van Den Uyl en de snelle groei van de consumptieve bestedingen, nu werd het naar verhouding zwaarder getroffen dan andere landen, juist omdat de noodzakelijke aanpassingen in de jaren zeventig waren uitgebleven. De enorme collectieve uitgaven in Nederland bleken, nu het eenmaal goed mis was, niet of nauwelijks te beheersen. De uitgaven bleven stijgen door het groeiend aantal werklozen, uitkeringstrekkers en arbeidsongeschikten en door allerlei ingebouwde automatismen en de belastingopbrengsten verminderden door de recessie.

Diverse ministers van financiën kwamen erachter dat bezuinigen in Nederland een duivelskunst was. De moeilijkheden begonnen al in het kabinet. De minister van financiën wilde wel bezuinigen, maar de vakministers verdedigden de begrotingen van hun departementen met allerlei geraffineerde boekhoudkundige operaties, zodat het effect van de beloofde bezuinigingen vaak nihil was. Vervolgens waren de grote belangengroepen zo kunstig ingegraven in het bestel dat zij de dreigende bezuinigingen op hun deelgebieden regelmatig wisten te voorkomen.

De stemming van de late jaren zeventig werd al gekenmerkt door matheid, stagnatie en politieke lusteloosheid. Zo rond 1980 was de maatschappelijke stemming uitgesproken somber. De bestuurlijke en economische crisis, daar was iedereen het over eens, was van structurele aard en eenvoudige oplossingen waren niet voorhanden. Tal van zieners orakelden dat het nieuwe decennium in het teken van een permanente, algehele stagnatie zou staan. Nederland leek te worstelen met de kater van dertig jaar ononderbroken welvaartsgroei. Dat was ook letterlijk het geval.

In de gemeente Lekkerkerk kwam in het voorjaar van 1980 aan het licht dat een hele nieuwe woonwijk op chemisch afval was gebouwd, daar gestort aan het begin van de jaren zeventig door een Rotterdamse firma om het terrein bouwrijp te maken. De concentraties tolueen, xyleen en benzeen in de kruipruimten onder de huizen en in het leidingwater waren zo hoog dat 270 gezinnen geëvacueerd moesten worden. De kosten van de schoonmaakoperatie bedroegen 140 miljoen gulden. Spoedig bleek dat het ongelukkige Lekkerkerk niet alleen stond. In de loop van de jaren tachtig werden nog veel meer vervuilde loca-

Juliana had als koningin een heel andere uitstraling dan haar dochter zou hebben. Bij haar inhuldiging op 30 april 1980 verwoordde koningin Beatrix dit als volgt: 'Niet alleen voor mij, voor ons als dochters, maar voor het hele Nederlandse volk bent u een moeder gewest. Vandaag is uw geboortedag. Uit diepe, diepe dankbaarheid voor alles wat wij van u ontvingen zal deze dag ook in de toekomst verbonden blijven met uw wijsheid, uw medeleven, uw moederliefde. Want deze dag zal blijven: Koninginnedag.'

ties ontdekt. Een deel van Nederland was gebouwd op het levensgevaarlijke afval, waarmee in de onbezorgde welvaartsjaren achteloos de Nederlandse sloten waren gedempt.

Kenmerkend voor dit dieptepunt in de naoorlogse geschiedenis was ook de troonsafstand van Juliana en de direct daaropvolgende kroning van Beatrix op 30 april 1980. Wat een feestelijke nationale gebeurtenis had moeten zijn, ontaardde in een grimmige veldslag in het centrum van Amsterdam. De kraakbeweging had de kroningsdag uitgeroepen tot 'nationale kraakdag' onder het motto: 'geen woning, geen kroning'. Toen de oude koningin op het balkon van het paleis op de Dam verscheen om haar troonsafstand bekend te maken en haar dochter aan het volk te presenteren, naar analogie van een vergelijkbaar ontroerend moment in 1948, weigerde de geluidsinstallatie, zodat er van de plechtige gebeurtenis niet veel viel te verstaan en ging er

Ook bij de kroning van Beatrix betoonde Amsterdam zich weer de spreekwoordelijke 'lastige' stad.

in het verzamelde publiek een rookbommetje af. Kort daarop verloor de Mobiele Eenheid de slag om de Blauwbrug van een ongeregelde strijdmacht van krakers en relschoppers. Vervolgens werd er vrijwel de hele dag gevochten.

De kraakbeweging verloor door dit en ander gewelddadig optreden in het begin van de jaren tachtig alle sympathie. Ooit begonnen als betrekkelijk vreedzaam, jazelfs te waarderen ver-

In maart 1980 ontaardde de ontruiming van een gekraakt pand in de Vondelstraat in een ware veldslag met de politie. Door de terreur verspeelde de kraakbeweging veel van de sympathie die zij in de jaren zeventig had gewonnen.

zet tegen de onaangename combinatie van woningnood en leegstand, verloor de kraakbeweging zich, en misschien was dat ook wel kenmerkend voor de late jaren zeventig, in verbittering en geweld.

Politieke verwarring

Het enige werkelijk interessante politieke programma dat de kiezers bij de verkiezingen van mei 1981 kregen aangeboden, was ongetwijfeld dat van de PLN van Gerrit Kreuger. Deze lijsttrekker stelde voor heel Nederland te verkopen aan een rijke liefhebber. Dat zou alle Nederlanders miljonair maken en daar-

172

mee zouden alle beklemmende sociaal-economische problemen met één klap zijn opgelost. Onbegrijpelijkerwijze sloeg het programma van Kreuger niet aan; hij haalde bij lange na de kiesdeler niet. Wat wel was aangeslagen was de rustige, altijd verstandige oppositie van Nederlands favoriete schoonzoon, Jan Terlouw, de fractieleider van D66. De partij was met 9 zetels de grote winnaar van de verkiezingen. De grote verliezer, ook met 9 zetels, was de PvdA.

De belangrijkste uitkomst van de verkiezingen was dat de regeringscoalitie haar kleine meerderheid net verloren had. Dat dwong het CDA, zeer tegen zijn zin, een coalitie te vormen met PvdA en D66. Het CDA was voorstander van een ingrijpende sanering van de overheidsfinanciën en de PvdA voelde daar niet voor. Die partij zag meer in een stimuleringsbeleid om de snel stijgende werkloosheid te bestrijden en de minima op peil te houden. Aangezien deze beleidsmatige onenigheid eigenlijk niet echt te overbruggen viel, volgde er een uiterst moeizame formatie.

Op 11 september 1981 presenteerde Van Agt, opnieuw minister-president omdat het CDA de grootste partij was geworden, met zichtbare tegenzin zijn tweede kabinet. Omdat in het regeerakkoord tevergeefs geprobeerd was het onverzoenlijke te verzoenen, was dit kabinet van meet af aan verdoemd. Vanaf de dag van zijn aantreden werd het kabinet geconfronteerd met ernstige financiële tegenvallers, die vooral een bedreiging vormden voor de ambitieuze en kostbare plannen van Den Uyl, minister van sociale zaken in dit kabinet, om de werkloosheid te reduceren. Van die plannen is dan ook niets terecht gekomen.

Bij het overleg over de voorjaarsnota van 1982 traden de totaal verschillende uitgangspunten van CDA en PvdA helder aan het licht. Van Agt en Van der Stee, de minister van financiën, hielden vast aan sanering van de overheidsfinanciën en wilden de koppeling tussen lonen en uitkeringen afschaffen. De socialistische ministers wilden primair de werkloosheid bestrijden en de koopkracht van de minima en de koppeling handhaven. De partijen lieten zich nu niet langer verzoenen. De socialistische

In 1981 was Jan Terlouw de fractieleider van D66 heel eventjes de meest succesvolle politicus van Nederland.

ministers namen op 12 mei ontslag. Nieuwe verkiezingen op 8 september moesten een uitweg uit de totale politieke impasse bieden en ondertussen zou het land bestuurd worden door een interim-kabinet van CDA en D66.

De verkiezingen boden inderdaad een uitweg. De VVD, nu onder leiding van de vlotte en televisiegenieke Ed Nijpels, won maar liefst tien zetels. De PvdA won drie zetels, het CDA verloor er drie en D66 viel terug van zeventien naar zes zetels.

Tot grote schrik van weldenkend Nederland won de Centrum Partij van de niet al te snuggere politicoloog Janmaat één zetel. Janmaat profileerde zich door het ressentiment tegen gastarbeiders en andere allochtonen uit te buiten, dat vooral leefde in de verloederde, oude wijken van de grote steden. Mooi was dat natuurlijk niet, maar om de Centrum Partij nu onmiddellijk als fascistisch te afficheren, wat te doen gebruikelijk was, gaat wat ver. De stemmers op Janmaat kunnen waarschijnlijk beter gezien worden als ultieme proteststemmers. Deze van samenleving en politiek bestel vervreemde bewoners van de verkrotte oude wijken hadden in de jaren zestig boer Koekoek al aan een gedeelte van zijn stemmen geholpen. Hoezeer het ook te betreuren valt dat hun politieke expressie niet verder kwam dan weerzin tegen de allochtonen, dat zij een proteststem uitbrachten valt, gezien hun uitzichtloze maatschappelijke positie, heel goed te begrijpen.

De verkiezingen hadden CDA en VVD samen een redelijk comfortabele Kamermeerderheid opgeleverd. Het enige, voorlopige probleem was dat de PvdA de grootste partij was geworden en daarom naar oud gebruik de eerste informateur mocht leveren. Informateur Van Kemenade was al op voorhand kansloos, omdat het CDA helemaal niet met de PvdA wilde en kon regeren, aangezien het een volstrekt ander beleid wilde voeren. Minister-president Van Agt had terloops gezegd dat zijn eigen verkiezingsprogram samenviel met het rapport van de commissie-Wagner (genoemd naar de voorzitter, oud-topman van de Shell, G.A. Wagner), dat begin juli aan de regering was aangeboden. In dit rapport, dat een aanzet moest geven voor een nieuw industriebeleid, werd geadviseerd de loonkosten te matigen, alle koppelingen af te schaffen en het loonoverleg te decentraliseren. Dat waren voornemens waar de werkgevers en de VVD al jaren voor gepleit hadden en waar de PvdA nooit mee akkoord zou gaan. Van Agt had bovendien verklaard dat de regering zijns inziens in 1983 een positief besluit over de plaatsing van kruisraketten diende te nemen.

Na de onvermijdelijke mislukking van de informatiepoging van Van Kemenade kwam het CDA zonder veel moeite, heel begrijpelijk gezien de beleidsvoornemens, tot een akkoord met de VVD. Omdat Van Agt schoon genoeg had van het regeren kwam het kabinet, dat op 4 november aan het werk ging, onder de leiding te staan van R.F.M. Lubbers, die, tot veler verbazing, in de loop van de jaren tachtig zou uitgroeien tot een alles dominerende politicus.

De no nonsense-jaren

Met het aantreden van het eerste kabinet-Lubbers kwam er een einde aan de politieke impasse, die ruim een jaar had geduurd. Tussen VVD en CDA bestond wel een consensus over het beleid dat nu gevoerd moest worden. Met de economie ging het ondertussen van kwaad tot erger. De implosie van de consumptieve bestedingen bracht onder andere De Bijenkorf en de wasmachinereus Gerard de Lange in ernstige moeilijkheden. Dat De Bijenkorf, het magazijn waar trendsettend Nederland in de jaren zestig en zeventig zijn nutteloze nieuwe speelgoed had gekocht, zich nu op de rand van de afgrond bevond, was symbolisch voor deze sobere en sombere jaren.

De regering-Lubbers moest in feite een geheel nieuw begin maken met de sanering van de overheidsfinanciën, omdat het saneringsbeleid van de voorgaande kabinetten een volledige mislukking was geworden. De politici hadden wel wat geleerd van de mislukkingen van de voorafgaande jaren. De bezuinigingen waren niet overgelaten aan het komende overleg binnen het kabinet, maar tot een bedrag van 21 miljard gespecificeerd in het gedetailleerde regeerakkoord. In de regeringsverklaring van 22 november werd absolute prioriteit gegeven aan de vermindering van het financieringstekort en de werkloosheid de facto op haar beloop gelaten. De marktsector moest versterkt worden en er werd mooi gesproken over privatisering en deregulering. De koppeling werd afgeschaft, aangezien de ambtenarensalarissen en de uitkeringen zouden worden bevroren. De regering nam zich voor het sociale verzekeringsstelsel ingrijpend te herzien; de financieel zwaar drukkende verzorgingsstaat zou een wat goedkopere 'zorgzame samenleving' moeten worden.

De regering-Lubbers zette een andere politieke toon, vandaar dat al spoedig van een no nonsense-beleid werd gesproken. Dit beleid werd gekarakteriseerd door een depolitiserend en regentesk optreden. De regering regeerde en trok zich weinig aan van het lawaai dat de belangengroepen maakten, die vanwege het nieuwe beleid allerlei verworven rechten zouden moeten inleveren. Het zal duidelijk zijn dat dat alleen mogelijk was vanwege de door iedereen erkende calamiteuze toestand van de economie. De media en de spraakmakende gemeente pasten zich aan de nieuwe situatie aan. Politiek was 'uit' in deze jaren en bleef 'uit' in de jaren tachtig. Aan de maakbare samenleving van de sociaal-democraten geloofde niemand meer. De held van de jaren zeventig, Joop den Uyl, werd een wat meelijwekkende figuur, lijdend voorwerp van de 'sloop van Joop'.

Er valt iets voor te zeggen de depolitisering, die zo kenmerkend was voor de jaren tachtig, al te laten beginnen in de zomer van 1977, toen de vorming van het tweede kabinet-Den Uyl zo jammerlijk mislukte. Daar sneuvelde definitief het optimisme van de jaren zestig over de mogelijkheden om de samenleving langs politieke weg een heel ander aanzien te geven.

Verzakelijking

Of het no nonsense-beleid de kentering van het maatschappelijk klimaat volgde, of dat het maatschappelijk klimaat door de nieuwe aanpak werd beïnvloed, zal wel nooit duidelijk worden.

176

Zeker is wel dat het maatschappelijk klimaat in de jaren tachtig anders was dan in de jaren zeventig. Nieuwe opvattingen en nieuwe gedragspatronen manifesteerden zich. Natuurlijk waren die fenomenen gedeeltelijk van oppervlakkige aard, dat neemt niet weg dat zij toch een indicatie kunnen geven van de maatschappelijke veranderingen.

De prestatiemoraal, in de jaren zestig uit de mode geraakt, keerde in de jaren tachtig weer terug. Met de prestatiemoraal werd het weer acceptabel, zelfs benijdenswaardig, om veel geld te verdienen. Die normverschuiving deed ook de ondernemer zijn come-back vieren. Terwijl de ondernemer, zoals hierboven geobserveerd, in de hoogtij-jaren van de 'vermaatschappelijking van het produktieproces' een wat verdachte figuur was geweest, werd hij in de jaren tachtig de redder in de nood. Zonder ondernemende ondernemers kon de economische gezondheid van het vaderland niet gewaarborgd worden. Vooral de startende ondernemer met een goed, nieuw idee had ieders aandacht. De kranten en de televisie, die in de voorgaande decennia slechts terloopse aandacht hadden gegeven aan economie en industrie, kwamen nu met economische bijlages en speciale programma's over ondernemers en hun fascinerende projecten. *Brandpunt*, om maar een enkel voorbeeld te geven, kwam met *Brandpunt in de markt*, waarin ondernemers allerlei ingenieuze nieuwe machines aan het verbaasde volk konden tonen.

De aandacht ging daarbij in het bijzonder uit naar de vernieuwing van het produktieproces, zodat we zonder meer kunnen zeggen dat de lasrobot en de computer evenzeer als de ondernemer tot de helden van de jaren tachtig behoorden. Geen documentaire over de industriële toekomst kon zonder mooie beelden van houterig bewegende robots die vrijwel zonder menselijke tussenkomst auto's in elkaar zetten. Dat die mooie beelden altijd in Japan werden gemaakt, was al even karakteristiek voor de jaren tachtig. De verbijsterende innovatiedrang, investeringslust en efficiëntie van de Japanse industrie werd iedereen ten voorbeeld gesteld en werkte tegelijkertijd nogal beangstigend.

Van de computer en dat wat hij mogelijk maakte, de automati-

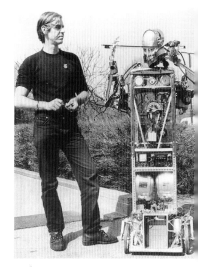

Een idee dat het niet tot serieproduktie heeft gebracht: de vioolspelende robot van Henk Gosses.

177

sering, werd van alles en dus veel te veel verwacht. Uit later onderzoek bleek dat van de grote automatiseringsprojecten ongeveer de helft mislukte of zich niet dan na immense aanloopproblemen liet realiseren. De opkomst van de personal computer zorgde in de kiosken voor vrijwel evenveel nieuwe computerbladen als er oude mode- en autotijdschriften waren. De personal computer, was de boodschap, zou het dagelijks leven vergaand gaan veranderen en vergemakkelijken. Dat viel tegen. De personal computer was, zoals iemand nog eens treffend heeft geformuleerd, een oplossing op zoek naar een probleem. Zoveel dagelijkse dingen zijn er niet die met een personal computer beter gaan dan zonder. Van de honderdduizenden personal computers die via pc-privéprojecten werden gekocht staat de helft of meer op zolder te verstoffen. Voor zover die toestellen gebruikt worden is het meestal als (dure!) typemachine. Deze relativerende opmerkingen laten onverlet dat het kantoorwezen door de komst van de personal computer grondig is veranderd. Wie geen verstand heeft van Word Perfect is in de moderne samenleving een bijna even grote uitzondering als iemand zonder rijbewijs.

Kenmerkend voor de nieuwe mythologie van de jaren tachtig was de yup, de young urban professional, een vaag gedefinieerd menstype dat uit de Verenigde Staten afkomstig was. De yup is jong, woont in de stad, heeft een vrijblijvende relatie met een andere yup, geen kinderen natuurlijk, en verdient heel veel geld met lichte werkzaamheden aan de beurs of in de media. Het verdiende geld wordt uitgegeven aan bijdetijdse kleding, zwarte auto's met turbocompressor, en in van glanzend chroom en marmer voorziene postmoderne uitgaansgelegenheden.

'Turbo' en 'postmodern', echt woorden van de jaren tachtig, toen alle termen konden worden voorzien van het voorvoegsel turbo of het adjectief postmodern. Wat het verschil was tussen een gewone cassette en een turbocassette wist niemand, maar iedereen begreep direct dat een turbocassette begerenswaardiger was. Postmodern betekende, als het al iets betekende, moderner dan modern.

Terug naar de yup in zijn hightech (weer zo'n woord) appartement met postmodern Italiaans meubilair. Nader onderzoek maakte duidelijk dat er in Nederland eigenlijk maar heel weinig echte yuppen waren. Dat doet er echter niets toe, de yup is een mythische figuur, de no nonsense-incarnatie van de hedonistische individualist. De yup kijkt ons zelfverzekerd aan op het moment dat hij of zij erachter komt dat hij of zij geen bier meer drinkt maar Grolsch. De yup fladdert duur en zorgeloos door esthetisch verantwoorde kantoren en frisse kunstgalerieën, nadat hij of zij een beschuitje met Lätta heeft gegeten.

Als de yup de lichtzijde van de jaren tachtig vertegenwoordigde, dan vertegenwoordigde de oudere, ongeschoolde werkloze de schaduwzijde. De langdurige en ernstige economische recessie had tot gevolg dat er halverwege de jaren tachtig zo'n 800.000 werklozen waren, ruim zeventien procent van de afhankelijke beroepsbevolking. Over het precieze aantal echte werklozen konden de deskundigen het niet eens worden. Het genoemde getal van 800.000 was afkomstig van de arbeidsbureau's. Volgens een nieuwe meetmethode die het Centraal Bureau voor de Statistiek ontwikkelde (waarbij mensen die een baan voor minder dan twintig uur per week zochten, niet als werkzoekenden werden beschouwd) was het aantal ruim dertig procent lager. Laten we het erop houden dat de methode van het CBS wel erg flatteus was voor de Nederlandse economie.

De werkloosheid was bepaald niet evenredig verdeeld. Zij trof vooral ouderen, laaggeschoolden, allochtonen en, in de eerste jaren, jongeren. Het werkloosheidspercentage van de allochtonen bleef ook na het economische herstel schrikbarend hoog. Van de Turken en Marokkanen in Nederland is nog steeds veertig procent werkloos. Met de kinderen van de gastarbeiders, de zogenaamde tweede generatie, is het ook droevig gesteld. Door haar gebrekkige beheersing van het Nederlands is deze tweede generatie in het onderwijssysteem vrijwel kansloos en daardoor vervolgens op de arbeidsmarkt al even kansloos. We kunnen concluderen dat de allochtonen in de jaren tachtig gemarginaliseerd zijn.

De aanpassing van de verzorgingsstaat

Het kabinet-Lubbers zette zich daadkrachtig aan de uitvoering van het regeerakkoord. Het kondigde aan dat de ambtenaren en de trendvolgers per 1 januari 1984 3,5 procent van hun loon zouden moeten inleveren. Ambtenaren die onderwijs gaven kregen daarboven nog een onrechtvaardige extra korting. Ook in de culturele sector werd fors bezuinigd. Orkesten verdwenen en de Beeldende Kunstenaars Regeling (BKR) zou op korte termijn worden afgeschaft. Het kabinet nam zich eveneens voor een aantal sociale uitkeringen te verlagen van tachtig procent van het laatstgenoten loon naar zeventig procent. Deze laatste maatregel liet zich moeilijker realiseren en kreeg haar definitieve vorm pas in het kader van de omvangrijke wijziging van het stelsel van sociale voorzieningen in 1987.

Tegen de voornemens van het kabinet voerden de ambtenarenbonden wekenlang actie. Hier werd het huisvuil niet opgehaald, daar de post niet bezorgd en dan reed het openbaar vervoer weer niet. Actievoerende beeldende kunstenaars zorgden ervoor dat het Rijksmuseum een paar weken dicht moest. Het mocht allemaal niet baten. Omdat de politieke consensus over de noodzaak de overheidsuitgaven te verlagen zo hecht was, won het kabinet de krachtmeting met de bonden. Het kabinet trok zich evenmin iets aan van een reusachtige demonstratie van de kruisvaarders tegen de kruisraketten. Hoewel zelfs prinses Irene de demonstranten op het Haagse Malieveld toesprak, zag het er niet naar uit dat de regering van het plaatsingsbesluit af zou zien.

In economisch opzicht had het kabinet-Lubbers de wind mee. In 1983 begon de wereldeconomie aan een onverwacht krachtig herstel dat door de Nederlandse economie op enige afstand aarzelend gevolgd werd. De Amsterdamse effectenbeurs had voor het eerst sinds de vroege jaren zeventig een glorieus jaar. De beleggers hadden kennelijk alle vertrouwen in het economisch herstel. Symbolisch van de grootste betekenis was de afschaffing

Blz. 180:
Tevreden yup in zijn onbehaaglijk, maar postmodern interieur.

van de cent als betaalmiddel. Daarmee was het oude, vertrouwde Nederland, waar een kind voor een cent nog een forse toverbal kon kopen, definitief ter ziele, bezweken aan de combinatie van welvaartsexplosie en inflatie.

De meeste politieke opwinding werd in 1983 veroorzaakt door de parlementaire enquête naar de RSV-affaire, die ook als televisiespektakel haar weerga niet had. Aan de uiteindelijk mislukte redding van het Rijn Schelde Verolme-concern was 3,5 miljard overheidssteun verspild. Verspilling is hier inderdaad het juiste woord. De enquêtecommissie onthulde een drama dat aan elkaar hing van hemeltergende hebzucht en incompetentie. Het onderzoek demonstreerde op overtuigende wijze dat overheidssteun voor noodlijdende bedrijven in vrijwel alle gevallen een nutteloze zaak is.
Het Nederlandse parlement kreeg de smaak van de enquête goed te pakken. In 1986 werd een enquête gehouden naar het subsidiebeleid in de bouwsector, in 1988 naar de paspoortaffaire. In alle drie enquêtes werd op onaangename wijze duidelijk dat het overheidsbeleid in deze affaires werd gekenmerkt door een moedeloos stemmend samengaan van ondoorzichtigheid en incompetentie.
Bij de Algemene Beschouwingen van 1984 waarschuwde Den Uyl, nu oppositieleider, voor een dreigende tweedeling in de

Drie generaties van de familie Van Baarsen werden getroffen door de werkloosheid.

182

samenleving. Door verlaging van de uitkeringen, blijvende afschaffing van de koppeling en weer stijgende lonen in de marktsector, was er een goede kans dat de uitkeringsgerechtigden in een welvarende samenleving op een eiland van armoede terecht zouden komen. Den Uyl pleitte voor het stimuleringsbeleid waar hij al tien jaar voor pleitte. De overheidsinvesteringen moesten omhoog en de koopkracht, vooral van de minima, moest verruimd worden. Omdat het met de tweedeling van de samenleving in de praktijk nogal meeviel, maakte deze oppositie op de coalitie weinig indruk. Welbeschouwd was het kabinetsbeleid, althans de grote lijn van dat beleid, weinig controversieel. De schrik van de eerste jaren tachtig was zo groot geweest dat vermindering van de overheidsuitgaven en versterking van de marktsector voorlopig geen aanleiding gaven tot diepgaande politieke meningsverschillen.

Veel rumoer ontstond in 1984 over de laatste uitvoeringsfase van de tweeverdienerswet. Het was de bedoeling van deze wet gezinnen met een dubbel inkomen zwaarder te belasten zodat voor gezinnen met maar één kostwinner de belasting verlaagd zou kunnen worden. De vraag was echter wie er nu wel en wie er nu geen tweeverdieners waren. Tot verbazing van velen bleken kloosterlingen alleenverdieners te zijn. De tweeverdienerswet was een schoolvoorbeeld van onzorgvuldige wetgeving met averechtse effecten. Zij had tot gevolg dat veel vrouwen die maar een paar uur per week werkten hun baantje opgaven. Dat leidde weer tot onaangename en kostbare tekorten in de verzorgende sector.

Zowel in 1984 als in 1985 en volgende jaren zette het conjuncturele herstel zich krachtig voort. Het herstel zorgde in 1985 voor een vrij scherpe omslag in de maatschappelijke stemming. Uit opinie-onderzoek bleek dat een meerderheid van de bevolking voor het eerst sinds jaren weer optimistisch was over de toekomst en in het bijzonder over de ontwikkeling van het eigen inkomen.

Op 1 november 1985 nam het kabinet eindelijk formeel de beslissing om de kruisraketten te plaatsen, ondanks een massale

Halverwege de jaren tachtig waren er circa 800.000 werklozen. Acties waren aan de orde van de dag.

handtekeningenactie die het Komité Kruisraketten Nee bij deze gelegenheid had georganiseerd. Zelden in de Nederlandse geschiedenis zal aan een zo marginale kwestie zoveel emotionele en politieke energie zijn besteed. Twee jaar later sloten de Verenigde Staten en de Sovjetunie een akkoord over de verwijdering van alle Intermediate Nuclear Forces, dat alle Nederlandse opwinding achteraf overbodig maakte.

B e z u i n i g i n g s m o e h e i d

Al lang voor de verkiezingen was evident dat de coalitie het kabinetsbeleid tot inzet van de verkiezingen zou maken. Lubbers, die 'het karwei af moest maken', werd natuurlijk lijsttrekker van het CDA en hij stelde polariserend dat het ging om een keuze tussen hem en Den Uyl. Het was karakteristiek voor de politieke verhoudingen dat hij de VVD niet noemde. Bij de verkiezingen van 21 mei 1986 won het CDA negen zetels. Analyse van de uitslagen toonde aan dat het CDA voor het eerst ook een aanzienlijk aantal niet-confessionele kiezers had getrokken.

In de maanden voor de verkiezingen was de VVD in zwaar weer terecht gekomen. Fractieleider Nijpels had politiek gebroddeld en naar veler gevoel had hij in de vier jaar van zijn fractieleiderschap al zijn politieke krediet verspeeld. Geplaagd door onenigheid en overspeeld door Lubbers verloor de VVD negen zetels. De coalitie behield dus haar meerderheid en dat betekende dat de PvdA, die in de persoon van Wim Kok een nieuwe politieke leider kreeg, met haar vijf zetels winst in de kou bleef staan. De CPN overleefde de neoliberale jaren tachtig niet. Zij haalde in 1986 de kiesdeler niet, nog onkundig van het feit dat haar grote voorbeeld van weleer ook op weg naar het einde was. Hier liep Nederland eens een paar jaar voor op de wereldgeschiedenis.

Het tweede kabinet-Lubbers kwam in 1986 met de ingrijpende wijziging van het stelsel van sociale voorzieningen, waaraan jaren gewerkt was. De Werkloosheidswet en de Werkloosheidsvoorziening werden vervangen door een nieuwe Werkloosheidswet. Werklozen kregen nu voor een periode van maximaal vijf jaar een uitkering ten bedrage van zeventig procent van het laatst genoten loon. Dan was er een overgangsjaar en vervolgens kwamen de werklozen in de Bijstand terecht, met uitzondering van de werklozen van vijftig jaar en ouder, waarvoor een aparte regeling was getroffen. Volgens de toeslagenwet werden alle uitkeringen aangevuld tot zeventig procent van het minimumloon (dat bedroeg eind 1986 f 1490,- per maand). Alle uitwonende onderwijsvolgers van 18 jaar en ouder kregen een basisbeurs van f 604,- per maand.

Na de verkiezingen van 1986 was de rek uit de coalitie. Het kabinet had het beleid gevoerd waarvoor de VVD en de werkgevers jaren geijverd hadden en de partij van de minister-president had de winst opgestreken. In de opinie-onderzoeken bleef de VVD verliezen en bij verschillende gelegenheden werd de partij, naar eigen inzicht, door de grote coalitiegenoot op vernederende wijze behandeld.

In april 1989 ontlaadden de frustraties zich tijdens het moeizame overleg over de begroting voor 1990. De moeilijkheden concentreerden zich rond de financiering van het Nationaal Milieu Beleidsplan, dat nota bene was opgesteld door VVD-minister

Ondanks de schrale jaren bleven de Nederlanders gul als het ging om de armoede in de Derde Wereld. Freek de Jonge en Louis van Gaal tafelvoetballen voor kansarme kinderen in Mexico.

Minister-president Ruud Lubbers met CDA fractievoorzitter Elco Brinkman, de voorvechter van de 'zorgzame' samenleving.

185

Nijpels. Voor de zoveelste maal voelde de VVD-fractie zich beledigd en genegeerd. Tijdens een Kamerdebat op 2 mei bleek de breuk niet meer te lijmen.

De VVD slaagde er niet in om de crisis ten eigen bate aan te wenden. Bij de verkiezingen van 6 september 1989 verloor de partij vijf zetels. Na zeven jaar regeren met het CDA had de VVD veertien zetels verloren en was zij weer terug op het punt waar zij in de vroege jaren zeventig haar electorale zegetocht was begonnen. Tweederde van de kiezers die de VVD verloor, kwam bij het CDA terecht. Het CDA, de grote politieke winnaar van de jaren tachtig, bleef bij deze verkiezingen stabiel.

De oude coalitie had nog een meerderheid van één zetel in de Kamer, maar gezien de gebeurtenissen van het voorjaar lag herstel van de coalitie natuurlijk niet voor de hand. Het CDA raakte dan ook informerend in gesprek met PvdA en D66. De PvdA wilde na bijna twaalf jaar machteloosheid tot elke prijs regeren en was nu bevrijd van de kruisraketten en de politieke illusies van de late jaren zeventig en de vroege jaren tachtig. Er volgde een vrij vlotte formatie, waarin D66 al spoedig buiten spel werd gezet omdat het CDA in het nieuwe kabinet niet overstemd wilde worden.

In het in algemene termen gestelde regeerakkoord, dat eind oktober werd geproduceerd, verscheen de koppeling weer op het toneel en werd de werkloosheid bestempeld als de grootste politieke uitdaging van het moment. Er was sprake van een wat andere politieke toon, al was dit dan het derde kabinet-Lubbers. De minister-president verklaarde de koerswijziging door te stellen dat het herstelbeleid een groot succes was geworden en dat er daarom nu ruimte was voor kwalitatieve maatschappelijke verbeteringen. Hoewel de directe oorzaak van de coalitiewisseling het suïcidale gedrag van de VVD was, was die wisseling toch uit politiek oogpunt zo gek nog niet.

In de eerste helft van de jaren tachtig wees opinie-onderzoek uit dat de Nederlanders wat behoudender waren gaan denken over de maatschappelijke ordening. Ze hadden minder bezwaren tegen grote inkomensverschillen dan in de jaren zeventig en vonden dat de overheid zich minder met de samenleving moest bemoeien. Met het nieuwe optimisme van 1985, waarvan hiervoor al sprake was, veranderden die opvattingen. In de tweede helft van de jaren tachtig waren de Nederlanders weer wat progressiever. Het idee dat de overheid het kalmer aan moest doen, was over zijn hoogtepunt heen, grote inkomensverschillen wekten weer meer ergernis en een ruime meerderheid vond dat er op de uitkeringen nu wel genoeg bezuinigd was. Kortom, de politieke koerswending van 1989 was in overeenstemming met de 'prudente progressiviteit' van de meerderheid van de Nederlandse bevolking in de tweede helft van de jaren tachtig.

Het is een interessante vraag of Lubbers gelijk had toen hij zei dat het herstelbeleid een groot succes was geworden. Dat zich na 1983 herstel voordeed en in de late jaren tachtig zelfs krachtig herstel, is buiten kijf. Maar was dat herstel ook het resultaat van het herstelbeleid? Het heeft de eerste twee kabinetten-Lubbers economisch wel bijzonder mee gezeten. De zeer scherpe recessie van 1979 maakte een einde aan de corrumperende combinatie van inflatie en loonstijging. De reële lonen daalden tussen 1979 en 1983 zelfs met tien procent. Daarna herstelde de export zich, geholpen door de opleving van de wereldconjunctuur, en met enige vertraging ook de particuliere consumptie, terwijl de loonmatiging aanhield vanwege de grote werkloosheid. In zo'n klimaat is het moeilijk om iets fout te doen.

Een van de belangrijkste voornemens van de eerste twee kabinetten-Lubbers was de vermindering van de overheidsuitgaven. Zij zijn daarin niet geslaagd. In de periode 1982–1986 was er zelfs nog een geringe stijging van het aandeel van de rijksuitgaven in het nationaal inkomen. Ook het aantal rijksambtenaren vertoonde in die jaren nog een lichte toename. Wel kunnen we stellen dat aan de aanhoudende, sterke stijging van de overheidsuitgaven in deze jaren een einde kwam, vooral door toedoen van de bezuinigingen op de ambtenarensalarissen, de uitkeringen en de uitgaven van de lagere overheden. Omdat Lubbers en zijn ministers er uiteindelijk niet in slaagden de overheidsuitgaven echt in de houdgreep te krijgen bleef het financieringstekort, hoewel het aanzienlijk afnam, te hoog en de noodzaak om bij elke financiële tegenslag direct weer te gaan bezuinigen, steeds aanwezig. De staatsschuld liep door het voortdurende tekort op tot ruim driehonderd miljard gulden, dat wil zeggen twintigduizend gulden per Nederlander.

Problemen van de jaren tachtig
Het milieu

Dat het tweede kabinet-Lubbers sneuvelde op de financiering van het NMB, was wel passend. In de late jaren tachtig werd de milieuvervuiling door de Nederlanders als verreweg het belangrijkste en meest bedreigende maatschappelijke probleem gezien. De werkloosheid en de strijd tegen de criminaliteit namen op ruime afstand de tweede en de derde plaats in op de ranglijst van maatschappelijke problemen. In geen enkel ander land kreeg de strijd tegen de milieuvervuiling zo'n hoge prioriteit. Er is inderdaad goede reden voor bezorgdheid.

Met de welvaart groeide de hoeveelheid afval en de druk op het milieu. Tussen 1960 en 1990 verdubbelde de hoeveelheid afval per persoon. Nu produceert Nederland jaarlijks zo'n veertig miljoen ton afval. Die afvalberg levert steeds grotere problemen op. Stortplaatsen zijn schaars en worden schaarser en verbranding, zo is herhaaldelijk gebleken, brengt het levensgevaarlijke dioxine in de atmosfeer. De problemen met het afval van het heden worden nog verergerd door de problemen met het afval van het verleden. Lekkerkerk, het werd hiervoor al gesignaleerd, stond inderdaad niet alleen. Er zijn in Nederland ruw geschat vierduizend ernstig vervuilde locaties. Grondige schoonmaak daarvan zou honderdvijftig miljard gulden gaan kosten.

Naast het afvalprobleem staat het even grote probleem van de verzuring van het milieu (en het mogelijke broeikaseffect) door de uitstoot van afvalgassen door industrie, verkeer en intensieve vee- en pluimveehouderij. De petrochemische industrie, in Nederland prominent aanwezig, behoort nog steeds tot de grote zondaars en zij zou aanzienlijk meer kunnen doen dan zij nu doet om de uitstoot te beperken. De vervuiling die de intensieve veehouderij veroorzaakt doet nauwelijks onder voor die van de industrie. In Nederland zijn veertien miljoen varkens en vijfentachtig miljoen kippen. Ruw gerekend heeft dus iedere Nederlander één varken en zes kippen. Wie weet hoeveel afval gewone huisdieren al produceren, zal niet verbaasd zijn te horen dat deze nationale (zeer winstgevende) menagerie tachtig mil-

De negatieve neveneffecten van de welvaart.

189

joen ton mest per jaar achterlaat. Totdat een jonge uitvinder bij *Brandpunt in de markt* komt melden dat hij een procédé heeft ontdekt om mest in mineraalwater te veranderen, vormt die mesthoop een onoplosbaar probleem.

Ten slotte zijn er dan nog de auto's, die niet alleen uitlaatgassen produceren maar ook steden en wegennet in toenemende mate verstoppen. Waren er in 1948 ongeveer 100.000 auto's, in 1988 was dat aantal opgelopen tot 5.251.000. Schattingen over de toename van het aantal auto's (en het aantal kilometers dat die auto's rijden) bleken steeds te laag. De overheid heeft zelf ten dele het autoprobleem veroorzaakt door in de jaren zestig en zeventig woningen te bouwen op plaatsen waar geen werk was. Drie miljoen mensen wonen niet in de gemeente waar zij werken en staan zodoende tweemaal per dag in de file.

De hoge prioriteit die de Nederlanders aan het milieuprobleem geven is gedeeltelijk zeker het gevolg van het efficiënte en mediabewuste optreden van de diverse actiegroepen voor het milieu. In de jaren zeventig vaak op geitewollen sokken begonnen, pasten zij zich voortreffelijk aan aan de zakelijke atmosfeer van de jaren tachtig.

Het NMB heeft tot doel het milieuprobleem rond het jaar 2010 tot beheersbare proporties terug te brengen. Tegen die tijd zou het mogelijk moeten zijn in al het Nederlandse oppervlaktewater te zwemmen zonder te hoeven vrezen voor direct aansluitende ziekenhuisopname en zou de zalm weer terug moeten zijn in de Rijn. Gezien de omvang van het milieuprobleem is het niet erg waarschijnlijk dat deze nobele voornemens in het genoemde jaar gerealiseerd zullen zijn.

Problemen van de jaren tachtig
Economie en werkgelegenheid

In de jaren tachtig wist de Nederlandse economie niet echt goed mee te komen met de internationale conjunctuur. Over het hele decennium gerekend bedroeg de economische groei 1,6 procent per jaar. Alleen in de jaren dertig was de groei nog minder. Dit was wellicht ten dele te wijten aan het bijzonder trage herstel van de particuliere consumptie in Nederland. Terwijl de Nederlanders in de jaren zeventig te veel (en op krediet) consumeerden, deden zij dat in de jaren tachtig te weinig. De exportindustrie wist zich na 1983 goed te herstellen, wat gezien de sterk gedaalde loonkosten en de voortgaande diepte-investeringen, niet echt verbazingwekkend is.

Wat betreft haar concurrentiekracht op de wereldmarkt wist de Nederlandse economie zich in de jaren tachtig flink te verbeteren. Volgens het World Competitiveness Report, opgesteld door het World Economic Forum (een Zwitserse stichting), nam Nederland in 1991 wat betreft zijn economische concurrentiekracht een zevende plaats in. In 1990 was dat nog een tiende plaats. In 1981 echter moest Nederland genoegen nemen met een bedroevende negentiende plaats. Japan staat op deze ranglijst al jaren met grote voorsprong nummer één.

Ondanks de bemoedigende opmars van Nederland in het WCR, zijn de economische deskundigen niet echt tevreden over de Nederlandse economie. Zij zijn van mening dat het Nederlandse exportpakket niet breed genoeg van samenstelling is, dat de

Een verschijnsel dat kenmerkend is voor de Nederlandse mentaliteit: de honden-w.c.

Soms was de agrarische industrie in Nederland al te produktief; doorgedraaide komkommers.

produktiviteit weliswaar zeer hoog is, maar dat de produktinnovatie te wensen overlaat en dat de export te veel gericht is op de Europese handelspartners, terwijl de snelste economische groei zich voordoet in het Verre Oosten. De meest succesvolle industrietak in de jaren zeventig en tachtig was ongetwijfeld de agrarische industrie. Daar werd de verhoging van de produktiviteit wel gekoppeld aan produktinnovatie. De glastuinbouw was nog niet begonnen met de produktie van groene paprika's of die kregen gezelschap van rode en gele paprika's. Het wachten is op een gele paprika met groene en rode stippen.

Wat de historicus moet denken van de structurele somberheid van de economische deskundigen is niet helemaal duidelijk. De indruk bestaat dat het volgens de economische deskundigen eigenlijk nooit goed is. Overzien we de ontwikkeling van de laatste kwart eeuw van wat grotere afstand dan kan geconstateerd worden dat Nederland het in economisch opzicht redelijk gedaan heeft. Zeker, er zijn landen die het veel beter hebben gedaan, maar omgekeerd zijn er nog veel meer landen die het slechter hebben gedaan.

Het herstel van de economie zorgde voor de creatie van een indrukwekkend aantal nieuwe banen. Aan het eind van de jaren tachtig waren er in Nederland een miljoen banen meer dan in 1980. Daardoor kon de werkloosheid flink dalen terwijl er tegelijkertijd ruim vierhonderdduizend nieuwe werknemers aan de slag konden. Hoe prijzenswaardig deze ontwikkeling ook was, er was toch in Nederland aan het eind van de jaren tachtig te weinig werk voorhanden. De werkloosheid bleef relatief hoog en veranderde bovendien van karakter. Het aantal langdurig werklozen, dat wil zeggen mensen die langer dan drie jaar werkloos zijn, nam namelijk aanzienlijk in omvang toe. In combinatie met het groeiend aantal vacatures gaf die ontwikkeling aan dat vraag en aanbod op de Nederlandse arbeidsmarkt slecht op elkaar zijn afgestemd.

De relatief hoge en hardnekkige werkloosheid vormt slechts een deel van een groter maatschappelijk vraagstuk, dat karakteristiek is voor de Nederlandse volkshuishouding. De arbeidsparticipatie is in Nederland, in vergelijking met andere landen, frappant laag. Van de personen tussen de 15 en de 65 werkt in Nederland maar 59 procent. Dat percentage ligt in de andere

De ontsporing van de Wet op de Arbeidsongeschiktheid leidde na lange en moeizame discussies in 1993 tot een scherpe beperking van de uitkeringen aan nieuwe gevallen.

EG-landen een kleine tien procent hoger en in de Verenigde Staten zelfs 15 procent. Dit wonderbaarlijke verschijnsel heeft twee oorzaken; de lage arbeidsparticipatie van de Nederlandse vrouwen en de fenomenale hoeveelheid arbeidsongeschikten.

Het zou kunnen zijn dat het grote aantal arbeidsongeschikten het gevolg is van de slechte gezondheidstoestand van de bevolking. Dit is echter overduidelijk niet het geval. De Nederlanders behoren tot de allergezondste personen op aarde. De gezondheid van de gemiddelde Nederlander heeft er in feite niets mee te maken. Het probleem wordt veroorzaakt door het feit dat de Wet op de Arbeidsongeschiktheid (WAO) zich in Nederland bij uitstek leent voor oneigenlijk gebruik.

In 1966, toen deze wet van kracht werd, was de verwachting dat er nooit meer dan tweehonderdduizend arbeidsongeschikten zouden zijn. Het heeft niet zo mogen zijn. In de loop van de jaren zeventig verruimden de afkeuringsnormen, zodat nu ook mensen die op hun werk niet meer zo goed mee konden komen, om wat voor reden dan ook, in aanmerking kwamen voor de WAO. In de teruglopende conjunctuur ontdekten werkgevers en werknemers dat de WAO een ideaal instrument was voor de sanering van het personeelsbestand. Voor de werknemers was de WAO op termijn financieel veel aantrekkelijker dan de WW en voor de werkgevers maakte het allemaal niets uit; zij betaalden altijd dezelfde WAO-premie, of ze nu veel of weinig personeelsleden via de WAO lieten afvloeien.

De grote hoeveelheid uitkeringsgerechtigden in het algemeen en arbeidsongeschikten meer in het bijzonder, wordt in toenemende mate gezien als een ernstig maatschappelijk probleem. In 1960 waren er 12,6 werkenden per uitkeringsgerechtigde, nu zijn dat er drie. Zeker is dat de omvangrijke groep van niet-werkenden, gegeven het uitgangspunt dat aan alle Nederlanders een bestaansminimum geboden wordt, zorgt voor een hoog niveau van belastingen en sociale premies. De economische deskundigen achten dat slecht voor de economische concurrentipositie van Nederland en dat zal ten dele wel juist zijn. De ruime definitie van arbeidsongeschiktheid heeft echter ook voordelen.

Door de massale uitstoot van oudere en minder efficiënte werknemers is de arbeidsproduktiviteit in Nederland zeer hoog. De keerzijde van het grote aantal arbeidsongeschikten is een van de meest efficiënte produktie-apparaten ter wereld.

Problemen van de jaren tachtig
Criminaliteit en onveiligheid

De derde kwestie, na de milieuvervuiling en de werkloosheid, waar de Nederlanders zich ernstige zorgen over maken is de groei van de criminaliteit. Die is dan ook vrij spectaculair. Sinds 1955 is de criminaliteit met achthonderd procent toegenomen. Alleen al in de jaren zeventig en tachtig vertwintigvoudigde de hoeveelheid inbraken. Zodoende krijgt vrijwel elke staatsburger vroeg of laat wel eens op hinderlijke en soms bedreigende wijze te maken met de criminaliteit. Fietsen moeten in Nederland met een keur van zware beugels en kettingen aan onroerend goed worden gekoppeld, willen ze niet onmiddellijk verdwijnen, en autoradio's zijn al jaren zo geconstrueerd dat de bezitter ze mee naar binnen kan nemen. Het is vooral deze sterke expansie van de kleine criminaliteit, in combinatie met enkele spectaculaire gevallen van gewelddadige criminaliteit, die veel Nederlanders een gevoel van onveiligheid geeft en de overtuiging dat het in Nederland met de criminaliteit ernstiger gesteld is dan elders.

Vandalisme en kleine criminaliteit veroorzaken een groeiende politieke onrust.

Enige relativering is hier op zijn plaats. Er moet in ieder geval een scherp onderscheid gemaakt worden tussen de kleine criminaliteit en de zware, gewelddadige criminaliteit. De kleine criminaliteit is uiterst irritant, maar brengt voor de slachtoffers daarvan zelden of nooit het risico van lichamelijke beschadiging met zich mee. De gewelddadige criminaliteit is in Nederland sinds de jaren vijftig wel wat maar niet veel toegenomen en nu al weer jaren constant. Mishandeling, verkrachting en moord komen in Nederland naar verhouding weinig voor. Het aantal dodelijke slachtoffers van crimineel geweld, zo'n honderdvijftig per jaar, is al jaren stabiel. In de eerste de beste Amerikaanse provinciestad worden per jaar meer moorden gepleegd dan in heel Nederland. Daarom is het zo eigenaardig dat uit onderzoek blijkt dat Nederlanders zich meer bedreigd voelen door crimineel geweld dan Amerikanen. In het algemeen kunnen we stellen dat het in Nederland, op het punt van de criminaliteit niet slechter of beter gaat dan in andere, vergelijkbare Westeuropese landen.

VII. HET IK-TIJDPERK

1973-1993

In vergelijking met de periode ervoor was er in de jaren zeventig en tachtig vooral meer te kiezen. Er was meer te koop, meer te doen, er was meer informatie en er mocht meer. Ondanks perioden van economische recessie bleef Nederland zeer welvarend en een groot deel van de bevolking kon meeprofiteren van de technische verworvenheden van de moderne tijd.

De verworvenheden van de techniek

In 1977 had 69 procent van de huishoudens de beschikking over een auto, en dat aantal bleef groeien. Steeds meer huishoudens werden verrijkt met digitale horloges, video-apparatuur, afzuigkappen, vrieskisten, computers, stereotorens, midi-systemen, camcorders, combi-ovens en magnetrons. Zwartwit-televisies en auto's zonder radio werden een zeldzaamheid, en sneller dan in welk land ook ter wereld werd in Nederland de grammofoonplaat vervangen door de veel duurdere 'compact-disc'.

Vaatwassers, kruimeldieven en koffiezetapparaten zorgden voor een verdergaande verlichting van het huishoudelijk werk, en zelfs voor het in- en uitschakelen van de televisie hoefde niemand meer uit z'n stoel te komen dank zij de introductie van de afstandsbediening. Er viel inmiddels ook heel wat te schakelen. Terwijl er in 1964 nog twijfel was geuit aan de wenselijkheid van een tweede televisienet, werd in de jaren tachtig door de invoering van kabeltelevisie het aanbod zo groot dat veel kijkers verslaafd raakten aan het 'zappen'. Met de afstandsbediening in de hand schakelden ze elke avond rusteloos van het ene kanaal naar het andere, van Nederland 3 via BBC 2, CNN en Rai Uno naar MTV en vandaar naar Sportnet of Super Channel. De commerciële tv deed zijn intrede met het toelaten van RTL Veronique, aanvankelijk zogenaamd een internationale zender, maar al spoedig RTL 4 genoemd, 'het vierde Nederlandse kanaal'. Niet alleen ontstond er een onuitputtelijk aanbod aan kanalen, ook de zendtijd per kanaal werd drastisch uitgebreid, zodat het mogelijk werd om vierentwintig uur per etmaal televisie te kijken.

Het verschil tussen de commerciële en publieke omroepen is niet groot. Tegenover het Tros-succes Medisch Centrum West *stelde RTL-4* Goede Tijden, Slechte Tijden.

Op alle kanalen was overigens ongeveer hetzelfde te zien: vooral Amerikaanse series, imitaties daarvan, films (in tegenstelling tot vroeger ook recente), nieuws, videoclips, tekenfilms, spelletjes, en talkshows. De programma's werden steeds vaker onderbroken voor reclameboodschappen, waarin de kijker werd opgeroepen zichzelf te verwennen met al het moois dat de moderne techniek had voortgebracht.

Vrije zeden

Karakteristiek was de opkomst van het praatprogramma, waarin alle problemen van het moderne leven (van foute ouders tot borstvergroting) aan de orde gesteld konden worden en waarin elke denkbare minderheid, georganiseerd of bij hoge uitzondering ongeorganiseerd, aan het woord kon komen. Onder de bezielende leiding van Henk Mochel of Sonja Barend was elk probleem bespreekbaar, tot necrofilie en voetschimmel aan toe.

In 1978, elf jaar na Phil Bloom, knipte de Tros nog het bloot uit de film *Wat zien ik* en een grammofoonplaatje van de groep Braak mocht bij die zelfde omroep niet worden gedraaid vanwege het woord 'hondekak'. Niet dat er bij de Tros principiële bezwaren bestonden tegen bloot of hondepoep, maar men wilde gemor onder kijkers en luisteraars voorkomen, dat zou alleen maar ten koste kunnen gaan van het ledental.

De regering-Van Agt overwoog destijds strafrechtelijk optreden tegen Hugo Brandt Corstius omdat hij in *Vrij Nederland* over koningin Juliana en prins Bernhard had geschreven: 'zij liet zich met wonderdokters en bezoekers van de planeet Venus in. [...] Hij bestal de zaak voor een paar miljoen dollar en liet een spoor van venerische ziekten achter.'

Het koninklijk huis bleef ook in de jaren tachtig een gevoelig onderwerp, maar steeds minder onderwerpen waren schokkend. Voor diverse strijdpunten uit het verleden groeide de tolerantie. Ongehuwd samenwonen, topless zonnen, homofilie en abortus werden langzamerhand in brede lagen van de bevolking geaccepteerd.

Geen enkel probleem bleef taboe. Alles werd bespreekbaar.

199

De in de jaren zestig begonnen ontwikkelingen zetten zich voort: gedragsvoorschriften werden minder rigide, de omgangsvormen informeler. In 1975 sprak ruim driekwart van de kinderen hun ouders met 'jij' aan, terwijl tweederde van die ouders zelf vroeger 'u' had moeten zeggen. Maar het verdwijnen van allerlei traditionele omgangsvormen uit het repertoire van de opvoeding leidde ook tot onzekerheid in het sociaal verkeer, en in de jaren tachtig werden herdrukken van *Hoe hoort het eigenlijk?* frequent geraadpleegd.

Een meerderheid van de Nederlanders vond voorechtelijk geslachtsverkeer inmiddels geoorloofd. In 1975 vond nog slechts acht procent dat een meisje als maagd het huwelijk diende in te gaan; in 1965 was dat nog 46 procent. Van de Nederlanders die na 1943 waren geboren hadden twee op de drie 'het' voor hun eenentwintigste gedaan; 85 procent van de mannen en 70 procent van de vrouwen deden het voordat ze waren getrouwd. De helft van de bevolking meende zelfs dat 'een avontuurtje' in het huwelijk wel moest kunnen.

Het 'ik-tijdperk'

De cultuur werd soms omschreven als narcistisch, maar gewoonlijk sprak men van het 'ik-tijdperk'. Mensen moesten 'voor zichzelf opkomen'. Dat gold in het bijzonder voor vrouwen, maar ook voor zeer veel andere groepen mensen, zoals werklozen, homoseksuelen, kinderen en patiënten. Voor al die groepen werden organisaties in het leven geroepen: van werklozencomités tot een patiëntenvereniging voor valiumverslaafden. Er kwamen wetswinkels, 'blijf van m'n lijf'-huizen, vrouwen- en kindertelefoons, Vos-cursussen, moedermavo's en vooral praatgroepen, bijvoorbeeld voor mensen met 'relaties met een gebonden iemand'.

De mens stond centraal en er bestond een oneindige belangstelling voor 'relaties'. In de eerste plaats was er de traditionele belangstelling voor het leven van de 'sterren': de mensen die men kende van de radio, de tv en de film. Die belangstelling ging echter veel verder dan voorheen. Men wilde niet meer alleen weten wie er met wie was getrouwd of van wie was gescheiden, maar vooral wat hun zieleroerselen daarbij waren. 'Worden spanningen Wieteke van Dort te veel?', vroeg men zich af, en gretig verslond men artikelen met koppen als 'Helderziende geeft Willy Dobbe toch hoop op een baby' en 'Lucie Visser: Liz Taylor's ex-man misbruikt mijn liefde'. Haastig bladerde men naar de pagina waar viel te lezen 'hoe Sjoukje Dijkstra 18 kilo verloor'.

Het in 1974 gestarte blad *Story* haalde in korte tijd een oplage van zeshonderdduizend exemplaren en desondanks bleek er nog een markt te zijn voor het tijdschrift *Privé*, dat in een paar jaar een oplage van een half miljoen bereikte. Daarnaast waren er dan nog bladen als *Mix* en *Weekend*. Aan het einde van de jaren zeventig hadden deze roddelbladen samen al een oplage van anderhalf miljoen.

Ze behandelden stuk voor stuk de blijdschap, maar vooral het verdriet van 'bekende Nederlanders' en andere sterren, onder wie ook politici, sportlieden en kunstenaars waren gaan vallen. Er bestond een overstelpende behoefte aan informatie over hun woning, hun huisdieren en hun hobbies, maar vooral over hun leed, veroorzaakt door overspel, drank, ziekte en stress. Blijkbaar was de gedachte dat beroemdheden last hadden van dezelfde perikelen als ieder ander buitengewoon geruststellend.

De problemen van de 'gewone' mens kregen ruime aandacht in tijdschriften als *Mensen van Nu*, 'maandblad over jezelf en anderen', dat aan het einde van de jaren zeventig een oplage van tachtigduizend exemplaren haalde. 'Mensen van Nu vindt dat je wel met jezelf mag beginnen; dat het niet goed is om jezelf altijd weg te cijferen; dat je best voor jezelf, je eigen gevoelens en je eigen mogelijkheden mag opkomen.'

Boeken als *Bent u verlegen? Maak er een eind aan!*, *Als ik nee zeg voel ik me schuldig* en *Lichaamswerk, het groeiboek voor vrouwen* waren bestsellers. Van *Ik ben oké, jij bent oké* werden 250.000 exemplaren verkocht. Men las ook gretig een boek als *De schaamte voorbij* (tachtigduizend exemplaren, dertien her-

drukken) waarin Anja Meulenbelt verhaalde hoe zij na een echtscheiding probeerde af te rekenen met gevestigde praktijken in de omgang tussen mannen en vrouwen, waarbij de lezer details over hangende borsten, dikke buiken, zweet en andere afscheidingen niet werden bespaard. 'Wie denkt dat dit alles was, één vrouw die zich aan haar schaamte heeft ontworsteld, één unieke geschiedenis los van alle andere', schreef Meulenbelt, 'die heeft het niet goed begrepen.'

De jeugd

Veel mensen ervoeren de ontwikkeling naar minder strenge zeden als bevrijdend, maar langzamerhand kreeg men ook steeds meer oog voor de nadelen. Vooral in de opvoeding en in het onderwijs bleken er aan de bevrijding bezwaren te kleven. 'Zelfontplooiing' en sociale vaardigheden waren door projecten, werkstukken en spreekbeurten naarstig gestimuleerd, maar een hele generatie groeide op zonder te kunnen spellen of ontleden en ook de resultaten van de vrije opvoeding waren niet helemaal wat men ervan had gehoopt.

Geschrokken intellectuelen betreurden het gebrek aan respect voor autoriteiten en het verloren gegane besef van mijn en dijn. Met 'de man in de straat' spraken zij er hun afkeuring over uit dat ze hun fiets niet meer konden neerzetten zonder hem eerst met diverse sloten te hebben verankerd en dat elke keer als ze hun auto parkeerden de radio eruit bleek te zijn gesloopt. Hoofdschuddend bezag men de toenemende brutaliteit en vernielzucht. Vooral het vandalisme van voetbalsupporters, die wekelijks 'hiha hondelul' en 'kankerjoden' roepend, treinstellen, bussen en hekken sloopten wekte hevige irritatie.

Een gruwel voor menig rechtgeaard burger was ook de onstuitbare opmars van de graffitti. Elk ongerept stukje muur werd

Gezellig vermaak en voetbal zijn niet langer synoniem. Er zijn zoveel politiemensen nodig om de supporters in bedwang te houden dat sommige burgemeesters weigeren grote voetbalevenementen in hun stad te laten spelen.

Graffitti woekerden als een schimmel over de Nederlandse steden.

203

binnen de kortste keren door jongeren met verf vol gespoten. Graffitti vormden na het verdwijnen van de televisie-antenne de belangrijkste wijziging in het straatbeeld.

Graffitti waren zoals zoveel elementen van de jeugdcultuur overgewaaid uit Amerika. Nederlandse jeugd bewoog zich in navolging van de Amerikaanse in de jaren tachtig ook voort op skateboards, roller-skates, mountain-bikes en surfplanken en liep het liefst op Nikes. De meeste jongens hadden niet langer lang haar, maar waren fris geknipt. Het was van het grootste belang geworden dat er een krokodilletje op de kleding zichtbaar was en dat er het juiste aantal strepen op de sportschoenen stond. Ouders werden voortdurend aan hun hoofd gezeurd om de gewenste merken aan te schaffen met het argument dat alle anderen ze ook droegen. Wie wilde voorkomen dat zijn kinderen verschoppelingen werden gaf uiteindelijk toe. De jeugdmarkt breidde zich eindeloos uit.

Om godsdienst of literatuur bekommerden de meeste jongeren zich volstrekt niet, de favoriete lectuur bestond uit stripverhalen en bladen als *Tina*, *Viva*, *Privé* en *Muziek Expres*. Op vrijdagavond ging men naar de film en naar een café, op zaterdagavond dansen. De jeugd vond wel 'dat de mensen steeds egoïstischer worden' en er was ook wel veel oorlog, maar over de remedie bestonden steeds minder illusies. 'Tot dat de bom valt', het nummer van de groep Doe Maar waarin deze stemming werd verwoord, werd een enorme hit.

Te midden van alle gelatenheid omtrent het wereldleed overheerste onder de jeugd het optimisme wat betreft de eigen toekomst. Met een beetje je best doen moest een leuke baan met een aardig salaris erin zitten.

Vanzelfsprekend waren er ook groepen jongeren die zich afzetten tegen de heersende cultuur. Aanvankelijk waren er nog 'kritiese sosjalisten', die meenden dat de maatschappij veranderd moest worden volgens de principes van Marx, maar zij hadden de tijdgeest nadrukkelijk tegen en vormden een spoedig uitstervend ras.

Dan waren er de rechtstreekse erfgenamen van de hippies, die zich bezig hielden met macro-biotisch voedsel, clandestiene hennepteelt, oosterse mystiek of gewoon met 'blowen'. Dat kon inmiddels ongestoord – een van de verworvenheden van de jaren zestig. Overal in de grote steden verrezen 'koffieshops', waar de verkoop van soft drugs werd gedoogd: voor jongeren uit andere Westeuropese landen een unieke attractie. Voor wie aan hardere middelen verslaafd was geraakt werd er vanaf 1978 van overheidswege methadon verstrekt, in de ijdele hoop dat daarmee de criminaliteit beperkt zou kunnen worden.

Voor degenen die het rationalisme en de stress van de prestatie- en consumptiemaatschappij niet meer aankonden was er nog altijd de oosterse mystiek. Opmerkelijk veel aanhang verwierf de Bhagwan-beweging. De volgelingen van de verlichte leidsman Bhagwan manifesteerden zich, ondanks de monotonie van hun zang en de vormeloosheid van hun oranje kledij, nadrukkelijk als blije mensen. Maar zij hadden dan ook de liefde gevonden: 'alleen liefde is therapie', aldus een van de aanhangers (Swami Deva Amrito, voorheen de psychiater Jan Foudraine), 'liefde vernietigt de vervreemding, ze maakt whole. Je voelt je geen outsider meer, je ben ineens nodig.'

Een agressievere tegenbeweging was de punk, die zich aanvankelijk vooral als stroming in de popmuziek deed gelden. Popmuziek op zichzelf had inmiddels weinig opstandigs meer. Pop was algemeen geaccepteerd en waar dan ook de hele dag te horen, via de radio, maar ook via de geluidsinstallaties van supermarkten en tandartsen. Popmuziek was zo alom aanwezig dat verontruste liefhebbers van de zogenaamde klassieke muziek in 1975 hadden bewerkstelligd dat er voor hen een aparte zender werd ingesteld, Hilversum IV, waarop de hele dag beschaafde muziek te beluisteren viel. De andere zenders draaiden voornamelijk gladde engelstalige muziek, waarbij sinds de jaren zeventig vooral veel zogenaamde 'disco' was. Dat was muziek waarvan tekst en melodie verwaarloosbaar waren en die uitsluitend bestond uit ritme, dat werd gegenereerd door computers en andere elektronische instrumenten. Hordes jongeren, zorgvuldig voorzien van de juiste kledij en haardracht, bewogen daarop in

dansgelegenheden mechanisch tot de zaterdagavond om was.
De belangrijkste ontwikkeling in de popmuziek was zonder
twijfel de opkomst van de videoclip. Een artiest die een hit

*Punkers deden in de zomer
van 1976 in Engeland
voor het eerst van zich
spreken. Zij waren erop
uit te choqueren maar al
spoedig werden hun bizar-
re uitingsvormen in aangepaste vorm in de hoofd-
stroom van de mode opge-
nomen. Overal ging men
los geweven kleding met
opmerkelijk veel ritsen
dragen en in boetieks kon
men sierveiligheidsspelden
en scheermesjes kopen.*

wenste te maken diende zijn muziek te laten ondersteunen door een filmpje dat was opgebouwd uit scènes die liefst niet langer dan anderhalve seconde duurden. De televisie vertoonde einde-loze reeksen van dergelijke filmpjes, die door de Nederlandse jeugd gretig werden geconsumeerd.

Punkers vonden de discocultuur stompzinnig en hulden zich in gescheurde en besmeurde kleren, spoten verf in hun haar en omhingen zichzelf met veiligheidsspelden en hondekettingen. Ze omringden zich met muziek die vooral bestond uit lawaai ter begeleiding van schokkende, agressieve teksten. Kleding en muziek vormden een symbolisch protest tegen de saaie en rotte maatschappij van de disco-kids en hun ouders.

Schaduwzijden van de welvaart

Niet alleen jongeren hadden oog voor de nadelen van welvaart en massaconsumptie. In alle lagen van de bevolking groeide het besef van de milieuproblematiek. Om de vervuiling te beperken werd loodvrije benzine ingevoerd en autorijden werd steeds duurder gemaakt. Desondanks nam het aantal auto's in hoog tempo toe en werd het aantal wegen nog uitgebreid. Protesten,

De snelle groei van het aantal auto's zorgde voor een enorme belasting van het milieu.

zoals tegen de aanleg van de A27 door het Utrechtse natuurgebied Amelisweerd, mochten niet baten.

In het centrum van grote steden werd een ontmoedigingsbeleid gevoerd, maar auto's lieten zich net zo min verwijderen als hondepoep, ook al verrezen overal verkeersdrempels, voetgangersgebieden en woonerven en werd parkeren onbetaalbaar gemaakt.

Behalve het milieu was vooral de gezondheid een bron van zorg. Veel Nederlanders hadden last van vage kwalen: lage rugklachten, hoofdpijn en andere als 'psychosomatisch' bestempelde aandoeningen. In 1977 slikte 35 procent van de bevolking met enige regelmaat kalmerende middelen. Het ziekteverzuim was in de jaren zestig en zeventig verdubbeld. Dat was allemaal het gevolg, concludeerde men alom, van stress, het was de tol die men betaalde voor het jachtige moderne leven. De mensen moesten leren te ontspannen. Diverse therapieën maakten opgang, van autogene training via acumassage en 'body-mind-heart-workshop' tot haptonomie. Reguliere artsen konden tegen vage klachten vaak weinig uitrichten en steeds meer mensen wendden zich tot 'alternatieve geneeswijzen', van homeopathie tot gebedsgenezing.

Niet alleen de overbelaste geest veroorzaakte kwalen, ook het lichaam zelf verkeerde in bedenkelijke staat. In de jaren zestig had men onbekommerd genoten van de weelde aan snoep, sigaretten, bier, borrelhapjes, witbrood en cola – allemaal etenswaren die nog aantrekkelijker waren gemaakt met kleur-, geur- en smaakstoffen en makkelijk te bewaren door de toevoeging van conserveermiddelen. Daarvoor kreeg men de rekening gepresenteerd in de vorm van vetrollen, rotte kiezen, hart- en vaatziekten en kanker.

Er moest iets veranderen aan de manier van leven, werd in de jaren zeventig alom geproclameerd. De strijd tegen het vet was het meest heroïsch. De markt werd overspoeld met produkten waarin het vet- en suikergehalte was gereduceerd, zoals halfvolle melk, halvarine, cola light en suikervrije snoep. Het eten van groente en fruit werd gestimuleerd doordat men niet langer was aangewezen op appels en sinaasappels, sperziebonen en spinazie. In elke zichzelf respecterende groentewinkel of supermarkt waren kiwi's, mango's, avocado's, courgettes, aubergines, artisjokken en icebergsla verkrijgbaar.

Maar daar tegenover stond het verrijkte aanbod aan lekker ongezond voedsel. Bakkerswinkels werden omgevormd tot 'broodboetiek' en lagen vol croissants, Surinaamse broodjes, donuts en pistoletjes. In de snackbar kon men behalve de traditionele zak patat met kroket of frikandel nu ook bamiballen, smulrollen en een patatje oorlog krijgen. De omzet van de gemiddelde snackbar bleef stijgen, ondanks de opkomst van de shoarma-zaken en sinds de jaren tachtig de MacDonald's.

De verlokkingen van de welvaart en het streven naar gezondheid bleven voortdurend op gespannen voet staan. Terwijl alom werd gewaarschuwd voor de gevaren van alcoholgebruik nam de consumptie alleen maar toe: naast het stijgende gebruik van bier en wijn was er de opkomst van de rum-cola, de gin-tonic en de wodka met jus. Het aantal verschillende soorten bier dat in cafés verkrijgbaar was nam jaarlijks toe.

Toch werden er in de strijd voor het gezonde lichaam wel een paar bescheiden successen geboekt. De belangstelling voor spa en vruchtensap groeide in elk geval, en omdat de behoefte aan het drinken van bier onstuitbaar bleek werd aan het einde van de jaren tachtig alcoholvrij bier geïntroduceerd. Dat werd, in tegenstelling tot de nicotine-arme sigaret, een succes.

Het roken werd langzamerhand iets teruggedrongen. Nadat was gebleken dat de verplichte vermelding dat sigaretten schadelijk zijn voor de gezondheid weinig had uitgehaald, werd in 1990 een rookverbod in openbare gebouwen van kracht.

Nadat van een hele generatie (opgegroeid in de jaren zestig en zeventig) het gebit was geruïneerd, werd in de strijd tegen de rotte kiezen veel winst geboekt met het propageren van het gebruik van fluor. Het werd weer betrekkelijk normaal om op te groeien zonder een mond vol vullingen. Nadat was geconstateerd dat het ongecontroleerde gedrag van sommige kinderen te wijten was aan de kunstmatige toevoegingen in het voedsel,

Ruim driekwart van de Nederlanders tussen 15 en 75 jaar doet regelmatig aan sport; veertien procent doet dat vrijwel dagelijks. Vooral individuele sporten zoals fietsen, trimmen en squashen zijn in trek.

nam plotseling het aantal produkten dat werd aangeprezen met de aanbeveling 'zonder kleur- en smaakstoffen' enorm toe.

De zorg om de gezondheid uitte zich behalve in het voedingspatroon vooral in de groeiende aandacht voor lichaamsbeweging. Met verve stortte men zich in eerste instantie op het hardlopen, of 'trimmen'. In parken en bossen verschenen 'trimbanen', waar men allerlei oefeningen kon verrichten om de verslapte spieren te activeren. Er ontstond een geweldige toename in het aantal georganiseerde 'trimlopen', hardloopevenementen die massale belangstelling trokken. Echte fanatici putten zich zelfs uit in marathons en triathlons, maar de doorsnee-Nederlander vond een blokje om al heel mooi. Liefst gebeurde dat in speciale trainingspakken en dan heette het 'joggen', net als in Amerika. Ook deed men massaal aan 'aerobics': talloze huisvrouwen trachtten (met een zweetband in het haar) overtollige kilo's kwijt te raken via gymnastiek waarbij men voortdurend op de maat van discomuziek op en neer diende te springen.

In de jaren tachtig won 'fitness' terrein. Deze vorm van lichaamsbeweging was vooral gericht op het kweken van esthetische vormen, van grote spieren in plaats van vet. Ook vrouwen mochten inmiddels gespierd zijn. Een gezond en atletisch lichaam vormde het ideaalbeeld.

Sportief recreëren was enorm populair. Er waren op dat gebied allerlei nieuwe mogelijkheden. In de wintermaanden spoedde half Nederland zich naar de bergen om te skiën. Surfen werd

210

een volkssport, een voorheen typische 'kak'-sport als tennis werd voor een veel breder publiek toegankelijk en zelfs golfen verloor een deel van zijn exclusiviteit.

Daarnaast bleef men de traditionele sporten beoefenen: voetballen, zwemmen, schaatsen, hardlopen en fietsen. Terwijl het aantal brommers daalde nam het aantal fietsen enorm toe: in de jaren zeventig verdubbelde de verkoop. Vooral de sportfiets was in opkomst: Gazelle maakte in 1979 viermaal zoveel racefietsen als in 1970. In het voetballen veranderde niet veel, maar hardlopen en vooral fietsen dienden te gebeuren in een veelkleurige outfit en liefst met een zonnebril op. Men diende daarbij voorzien te zijn van een computer of hartslagmeter en energiedrank en isotone dorstlesser bij de hand te hebben. Fietsen geschiedde, ook op vlakke polderwegen, bij voorkeur op een mountainbike.

Sport

Een belangrijke rol speelde de televisie, waarop steeds meer sport te zien was. Op de kabel verschenen zenders die geheel gewijd waren aan sport (waarop men bijvoorbeeld Argentijns voetbal en Canadees studenten-ijshockey kon bewonderen) en ook de reguliere stations zonden zoveel mogelijk sport uit om kijkers te trekken. Naarmate er meer sport op de tv was, werd het voor bedrijven interessanter om als sponsor op te treden. Bijdragen van bedrijven en televisierechten werden langzamerhand veel belangrijker dan inkomsten uit de kaartverkoop bij wedstrijden. De hoeveelheid geld die in de sport omging nam geweldig toe. Topsport werd in steeds meer disciplines een beroep waarmee veel geld kon worden verdiend.

Commercialisering maakte de sport minder heroïsch, maar niet minder populair. Nederlanders bleven vooral dol op voetbal, hoewel het vaderlandse voetbal magere jaren beleefde. Aanvankelijk waren er nog wat naweeën van de glorietijd waarin Ajax en Feijenoord de Europa Cup hadden gewonnen en het Nederlands elftal bijna wereldkampioen was geworden.

Surfen werd een volkssport.

211

Feijenoord en PSV wonnen de UEFA-cup, de zogenaamde 'Europa Cup 3' en het Nederlands elftal bereikte bij het wereldkampioenschap in Argentinië in 1978 tegen alle verwachtingen in de finale. Na verlenging werd verloren van Argentinië, nadat Rensenbrink in de laatste minuut van de reguliere speeltijd nog op de paal had geschoten.

Net als in de jaren vijftig namen de Nederlandse wielrenners de fakkel van de voetballers over. De ploeg van de vroegere zesdaagsenkeizer Peter Post, gesponsord door de firma Raleigh, groeide met renners als Jan Raas, Gerrie Knetemann en Hennie Kuiper uit tot het beste team van Europa. In navolging van Kuiper (1975) werden Knetemann in '78 en Raas in '79 wereldkampioen.

De Tour de France kon in juli rechtstreeks worden gevolgd in het middagvullende radioprogramma *Radio Tour de France* en ook de televisie zond dagelijks rechtstreeks uit. Steeds meer Nederlanders schaften zich bij hun sportfiets een 'echt' Raleighshirt aan, en elke fietser werd vroeger of later aangemoedigd met 'hup Zoetemelk!' Joop Zoetemelk was zonder twijfel de populairste wielrenner. Als jonge renner maakte hij faam doordat hij in de Tour de France van alle renners nog het minst ver achterbleef bij Eddy Merckx, maar doordat hij Merckx nimmer kon verslaan kreeg hij langzamerhand het aura van de 'eeuwige tweede'. Met zijn voorzichtige manier van koersen en zijn wat onbeholpen en verlegen manier van doen was hij het absolute tegendeel van een vedette, en met elke tweede plaats en elk wanhopig 'pff..inderdaad' nam zijn populariteit alleen maar toe.

In 1974, toen de kracht van Merckx juist wat begon te tanen, kwam Zoetemelk door een botsing tijdens een wedstrijd bijna om het leven. Het duurde even voor hij weer helemaal de oude was, maar ook toen slaagde hij er aanvankelijk niet in om de Tour te winnen. In '76 was hij dicht bij de overwinning, maar een te behoudende tactiek en een steenpuist op het zitvlak werden hem fataal. Vanaf 1978 trof hij de oppermachtige Fransman Bernard Hinault, die echter in 1980 met zere knieën moest uitvallen, zodat Zoetemelk in zijn nadagen ten slotte toch

Joop Zoetemelk, de eeuwige tweede, werd in 1985 tot ieders stomme verwondering eerste bij het wereldkampioenschap.

nog de Tour won. Wat heet nadagen: 'Joop' bleef doorfietsen en tot ieders stomme verbazing werd hij in 1985, als 37-jarige, nog wereldkampioen.

Nederlandse voetbalteams hadden weinig aansprekende successen meer behaald tot Johan Cruijff, ditmaal als trainer, Ajax in 1988 naar een overwinning in de Europa Cup 2 leidde. De jonge Marco van Basten was de uitblinker. De overwinning werd gevierd als betrof het de Europa Cup 1 en vond meer weerklank dan de overwinning van PSV in de echte Europa Cup. Terwijl het team van Ajax was opgebouwd uit talentvolle jonge voetballers die in de eigen jeugdteams waren opgeleid was het team van PSV gekocht met het kapitaal van Philips. PSV was de enige Nederlandse club die kon concurreren met grote kapitaalkrachtige buitenlandse clubs uit landen als Spanje en Italië, waar de belangstelling voor voetbal nog vele malen groter was dan in Nederland. De beste Nederlandse voetballers verdwenen onherroepelijk naar Italië: Ruud Gullit, Marco van Basten en Frank Rijkaard werden voor miljoenen gecontracteerd door AC Milan.

Met spelers als Van Basten, Gullit en Rijkaard en onder leiding van Rinus Michels, de man die het grote Ajax had gecoached, bereikte het Nederlands elftal vervolgens in 1988 de halve finale van de eindronde van het Europees kampioenschap in Duitsland. In die halve finale, gespeeld in Hamburg, ontmoette het Nederlands elftal West-Duitsland. Een beladen wedstrijd, die voor velen gold als revanche voor de nederlaag in de finale van het wereldkampioenschap van 1974. Die onterechte nederlaag was een nationaal trauma geworden, en alleen het uitspreken van de naam Hölzenbein was voldoende om in menig Nederlander een gevoel van machteloze woede te doen ontstaan. Ook ditmaal leek Nederland ondanks beter spel het onderspit te gaan delven, want de Duitsers kwamen met 1–0 voor. Maar door een penalty en een doelpunt van Marco van Basten in een van de laatste minuten wist Nederland de bevrijdende overwinning te behalen. Een spontaan volksfeest ontstond: heel Nederland ging zingend de straat op, in een sponta-

In 1988 werd Oranje Europees kampioen. De huldiging liep uit op een volksfeest tot groot chagrijn van de eigenaren van de woonboten in de Amsterdamse grachten die de dolle meute niet van hun eigendom konden afhouden.

ne eensgezindheid die sinds mei 1945 niet meer was waargenomen. Hierna was de finale vervolgens een formaliteit. Mede dank zij een legendarisch doelpunt van Marco van Basten werd Rusland met 3–1 verslagen.

Eerder dat jaar was al het Ard & Keesie-gevoel herleefd, toen de Haarlemse schaatsenrijdster Yvonne van Gennip bij de Olympische Winterspelen in Calgary drie gouden medailles wist te winnen. Na Schenk en Verkerk waren successen niet uitgebleven, maar ondanks schaatsers als Harm Kuipers, Hans van Helden, Piet Kleine, Hein Vergeer en Leo Visser was het toch nooit meer zo geworden als weleer. Alleen Hilbert van der Duim bereikte een buitengewone populariteit, vergelijkbaar met die van Joop Zoetemelk. Ondanks twee Europese- en twee wereldtitels bleef aan hem toch altijd het beeld kleven van de schlemiel, die op het beslissende moment een ronde te vroeg stopte of uitgleed over vogelpoep.

In de tweede helft van de jaren tachtig volgde de opkomst van het marathonschaatsen, dat vooral werd gestimuleerd doordat er in 1985, tweeëntwintig jaar na Reinier Paping, weer een Elfstedentocht werd georganiseerd. De Elfstedentocht was voor de meeste mensen een legende, voorgoed verleden tijd.

Voorzitter Sipkema en ijsmeester Kroes van de Elfstedenvereniging hadden lang getwijfeld. Ze waren er in de voorafgaande weken bekende Nederlanders van geworden, maar op

214

21 februari was het dan toch zover. Om half zes 's ochtends holden in het donkere Leeuwarden de eerste schaatsers het ijs van de Zwette op. Radio en tv gaven rechtstreeks verslag en in de loop van de dag verzamelden zich duizenden 'olé' zingende toeschouwers langs de bevroren wateren van Friesland. Het was reuze gezellig, maar de wedstrijd was niet helemaal meer zo heroïsch als vroeger. In plaats van sterke boerenknapen op doorlopers schoten nu door en door getrainde schaatsers in snelle pakken voorbij.

Veel sneller dan ooit, in minder dan zeven uur, arriveerden de eerste schaatsers weer in Leeuwarden. Een kopgroep van vier sprintte om de overwinning. Het snelst was niet de favoriet Henri Ruitenberg uit Oldenbroek, maar een betrekkelijk onbe- *In 1985 kon er zowaar* kende boer uit Sint Jansklooster, Evert van Benthem. Hij werd *weer een Elfstedentocht* onmiddellijk gepromoveerd tot Bekende Nederlander, wat bete- *worden gereden.*

215

kende dat hij winkels mocht openen en bij tv-spelletjes optreden.

Terwijl iedereen meende een unieke gebeurtenis te hebben mee-
gemaakt kon er het volgende jaar opnieuw een Elfstedentocht
worden georganiseerd. Evert van Benthem slaagde erin opnieuw te winnen en werd een ware held, zij het met een hoog
Zoetemelk-gehalte, wat hem natuurlijk alleen nog maar popu-
lairder maakte.

Epiloog: Een tevreden natie

Nederland is sterk veranderd in de halve eeuw die sinds de
bevrijding is verstreken. Er zijn bijna zes miljoen Nederlanders
bijgekomen en dat valt goed te merken. Nederland is een van de
dichtstbevolkte landen ter wereld en het is eigenlijk een wonder
dat het er zo ordelijk en rustig toegaat. Het leven dat de vijftien
miljoen Nederlanders nu leiden is in velerlei opzicht aangena-
mer en biedt meer mogelijkheden dan het leven in de late jaren
veertig. We hebben het dan over de gemiddelde Nederlander,
een abstract wezen uit de statistiek. Het gaat in het volgende
niet over de heroïneverslaafde die in Amsterdam of Heerlen op
rooftocht moet om zijn verslaving te bekostigen, niet over de
Nederlanders die wakker liggen vanwege de vraag of zij een
BMW of een Mercedes moeten kopen en al evenmin over de
oudere gastarbeider die al jaren werkloos is.

Nee, het gaat over een man en een vrouw van achter in de dertig die met hun twee kinderen in een doorzonwoning in een
nieuwbouwwijk wonen. Voor de deur staat een Opel Astra
(voorheen Kadett, al jaren Nederlands bestverkochte auto)
waarmee het gezin eenmaal per jaar naar het buitenland gaat en
als het meezit nog een weekje of een lang weekeinde naar een
bungalowpark in Nederland. Zo'n modaal gezin kan in de jaren
negentig, in vergelijking met een kleine halve eeuw geleden, een
betrekkelijk comfortabel leven leiden. Omdat het gezin klein is,
biedt de doorzonwoning, met voor- en achtertuintje, voldoende
ruimte. De kinderrijkdom is in Nederland sterk afgenomen en

216

de kans dat het gezin last heeft van een inwonende grootvader of grootmoeder is te verwaarlozen. De kans dat het huwelijk van vader en moeder op een echtscheiding uitdraait is veel groter geworden dan in de jaren veertig. Van alle huwelijken in Nederland wordt 27,5 procent door echtscheiding ontbonden. In het geval van echtscheiding zou het gezin vanzelfsprekend in twee nog kleinere eenheden uiteenvallen.

In de jaren veertig zou dit gezin ongetwijfeld kerkelijk gebonden zijn geweest. Daarover valt nu niets met zekerheid te zeggen. In 1989 zei voor het eerst een meerderheid (51 procent) van de Nederlanders onkerkelijk te zijn. Een eeuw geleden was dat percentage 1,5 procent. Dat het gezin niet meer ter kerke gaat wil allerminst zeggen dat de gezinsleden geharde agnosten zijn geworden. Ruim zeventig procent van de Nederlanders gelooft in een persoonlijke God of een of andere Hogere Instantie.

Mocht het gezin behoren tot de grote minderheid die zich nog wel kerkelijk gebonden acht, dan is er een goede kans dat de geloofsopvattingen van de gezinsleden een betrekkelijk liberaal en tolerant karakter hebben. Tachtig procent van de Nederlandse katholieken bijvoorbeeld moet niets hebben van de conservatieve opvattingen van het Vaticaan. Toen de paus in 1985 naar Nederland kwam, werden er bij een openluchtmis in Eindhoven vijftigduizend mensen verwacht; er kwamen er zevenduizend opdagen.

Over de inrichting van de doorzonwoning valt ook al weer geen zinnig woord te zeggen. De woninginrichting is sterk geïndividualiseerd. Meer zekerheid bestaat er over de duurzame consumptiegoederen. Het modale huishouden beschikt over een wasmachine, een stofzuiger, een koffiezetapparaat, een mixer, een geavanceerd fornuis met afzuigkap, een kleurentelevisie, een videorecorder, een grammofoon of cd-speler, twee cassetterecorders, drie radio's en voorts is er minstens een fiets per gezinslid. Omdat vijftig procent van de Nederlanders reparaties aan eigen huis zelf verricht, is er een goede kans dat we ook nog een klopboor en een vlakschuurder aantreffen.

In de jaren veertig zou er geen tijd zijn geweest om deze

In 1978 trok de schrijver Jan Wolkers fel van leer tegen de burgerlijke wansmaak. Volgens hem leefde men in Nederland in een hel, waarbinnen de mens zich alleen nog maar stroperig kon voortbewegen 'als een muis in een grauwe puntzak met gesmolten babbelaar'. Vanuit advertenties die vrijwel dagelijks in de kranten verschenen werden de mensen volgens hem overspoeld door 'de riolen van de vetgemeste wansmaak': 'Bankengroep in zwaar massief breed boeren eiken met dikke armleggers en extra hoge rugkussens in rijk geplooid echt leer. Een wandmeubel van koninklijke bloede in massief geloogd eiken. Een schoonheid in vorm, subliem van afwerking. Geheel massief. Voor de Paas thuis.' Een hel.

217

omvangrijke outillage met vrucht te gebruiken. In de jaren vijftig, zestig en zeventig is het aantal vrije dagen sterk toegenomen en het aantal gewerkte uren per week afgenomen. In de jaren tachtig is het aantal gewerkte uren per week, anders dan ver-

In de loop van de jaren zeventig en tachtig nam de populariteit van Griekse en Italiaanse restaurants, ten koste van de vanouds populaire Chinese restaurants, sterk toe. In Nederland waren eind jaren tachtig zevenduizend maaltijdverstrekkende bedrijven, waarvan tweeduizend Chinezen en ruim twaalfhonderd bedrijven met een andere buitenlandse keuken.

wacht, voor het eerst sinds dertig jaar weer in geringe mate toegenomen. De grootste verandering in de besteding van de vrije tijd is veroorzaakt door de televisie. De modale Nederlander van twaalf jaar of ouder kijkt meer dan elf uur per week naar de televisie. Toch hoeft er geen vrees te bestaan voor massale kijkverslaving. In de laatste jaren is de totale kijkdichtheid afgenomen. Aan 'overige vrijetijdsbesteding', en dat kan werkelijk van alles zijn, wordt meer tijd besteed dan aan de televisie.

Het leesgedrag geeft wel reden tot zorg. De kans dat ons modale gezin uit grage lezers bestaat, is buitengewoon klein. De Nederlander uit de statistiek leest nog wel ruim vier uur per week in krant en tijdschrift, maar voor het boek zijn slechts 54 minuten per week ter beschikking. De statistiek werkt hier natuurlijk sterk vertekenend. De meeste Nederlanders lezen nooit een boek, als ze daar niet toe gedwongen worden door beroep of opleiding.

De kans dat de gezinsleden een sport beoefenen is zeer groot. Driekwart van de Nederlanders doet aan een of andere sport.

Daarbij dient wel te worden bedacht dat ook wandelen als een sport wordt beschouwd. Als er in algemene zin iets over de vrije-tijdsbesteding kan worden gezegd dan is het dat ook hier de individualisering heeft toegeslagen. Nederlanders doen in hun vrije tijd waar ze zelf zin in hebben, op een tijd en plaats die ze ook al weer zelf kunnen bepalen. Anders dan vroeger eet de Nederlander regelmatig buiten de deur. Het modale gezin zal een sterke voorkeur aan de dag leggen voor al die klassenloze, relatief goedkope Chinese restaurants, pizzeria's en fast-foodgelegenheden, die in de jaren zestig en zeventig als paddestoelen uit de grond zijn gerezen.

Vader en moeder kunnen hoogstwaarschijnlijk redelijk tot goed opschieten met hun opgroeiende kinderen. Vaak zelfs zo goed dat de kinderen niet staan te springen om zelfstandig te gaan wonen. De relatie tussen ouders en kinderen is informeler geworden, wat op simpele wijze blijkt uit de toename van het tutoyeren van de ouders. Voor zover er al sprake is van duidelijke meningsvorming zijn de beide kinderen heel tevreden over hun leven, vertonen zij geen afwijkend gedrag en stemmen ze op gematigde partijen. De kwieke Lubbers was in 1986 zeer populair bij de jonge kiezers.

Het is niet zo dat de kinderen van hun ouders zomaar alles mogen. De ontwikkeling naar een vrijere opvoeding maakt geen vorderingen meer. Er zijn duidelijke regels, maar over een soe-

De mensen worden steeds ouder, maar uit onderzoek is gebleken dat alleen mannen deze extra jaren ook in gezondheid doorbrengen. In 1983 was de gezonde levensverwachting voor mannen nog 58,6 jaar tegen 60 jaar in 1990, terwijl de totale levensverwachting toenam van 72,9 tot 73,9 jaar. De gezonde levensverwachting voor vrouwen heeft steeds rond de 60,3 jaar geschommeld, terwijl hun totale levensverwachting toenam van 79,5 tot 80,1 jaar. De meeste winst blijkt te zijn geboekt door mannen boven de veertig, de oorzaak hiervan is niet bekend.

pele toepassing van die regels is altijd een gesprek mogelijk. Botte uitoefening van het ouderlijk gezag is zeldzamer geworden. Het moderne, modale gezin is bovenal een onderhandelingshuishouding. Echtgenoot en echtgenote, ouders en kinderen; zij zijn steeds in onderhandeling over hun onderlinge relatie. De ontwikkeling van de sociale relaties binnen het gezin weerspiegelt de ontwikkeling in de Nederlandse samenleving als geheel. Sociale verschillen worden niet benadrukt (al zijn ze er natuurlijk wel) en zelfverheffing is niet netjes. Er wordt niet meer van ondergeschikten gesproken, maar van medewerkers. Iedereen is voortdurend in onderhandeling met iedereen, het machtswoord wordt alleen in uiterste noodzaak gesproken.

In de late jaren zestig en de vroege jaren zeventig is het patroon van normen en waarden in Nederland in hoog tempo sterk veranderd. Sedert dat roerige decennium is Nederland in sociaal-cultureel opzicht in kalmer vaarwater geraakt. Van een restauratie van het Nederland van de jaren veertig en vijftig is echter op geen enkel moment sprake geweest. De fundamentele trends die zo'n vijfentwintig jaar geleden zijn ingezet lopen nog steeds door. Kern van het veranderingsproces is ongetwijfeld de individualisering. Iedere Nederlander mag en wil in toenemende mate zelf weten wat hij of zij doet of vindt, mits zijn of haar gedrag en opvattingen tenminste niet hinderlijk of gevaarlijk zijn voor de rest van de Nederlanders. Wie abortus wil plegen, mag dat doen van de meerderheid van de Nederlanders en hetzelfde geldt voor euthanasie en ongehuwd samenwonen.

Van geweld en gezag moet de Nederlander niets hebben. Er is een duidelijke verschuiving gaande van macho-waarden naar feminiene waarden, die, lichtelijk paradoxaal, gecombineerd wordt met een grotere individuele assertiviteit. In vergelijking met andere volkeren zijn de Nederlanders wat individualistischer ingesteld. Ons waardenpatroon lijkt nog het meeste op dat van de drie Scandinavische landen.

De meeste Nederlanders zijn terecht tevreden over hun leven en hun vaderland.

220

REGISTER

Fotoverantwoording

ANP Foto, Amsterdam 53 onder, 80, 95 onder, 117, 125, 128 rechts, 132, 137, 138, 140, 142, 150, 151, 158, 160, 165 boven en onder, 166, 171, 172, 185 boven en onder, 195, 203 boven, 214, omslag middelste rij links, onderste rij links

Archief Stichting Kees Scherer, Bussum 11, 23, 28, 61 boven, 71, 81, 82, 84 onder, 88, 91, 94, 106, 119, 135, 143, 189, 203 onder, 207, 210, 218, omslag bovenste rij midden

F. Behrendt, Amsterdam 108

D. Bruynestyn, Eemnes 75

P. Dicampos, Haarlem 144

Nederlands Filmmuseum, Amsterdam 57

De Geïllustreerde Pers, Amsterdam, (Libelle) 20, 52, 60, 61 onder, 87, (Avenue) 122, 141, 180
Met dank aan Madeleine Kuile, Amsterdam

Internationaal Instituut voor Sociale Geschiedenis, Amsterdam 16, 19, 45, 48, 115 rechts, 118, 164, 168, 199

L.J. Jordaan (onder meer gepubliceerd in *Onze Jaren '45-'70*) 37

Kippa, Amsterdam 70, 72, 73, 133, 146, 155, 219

M. Koot 111

R. Kroon, Amsterdam 149

Opland, Amsterdam 193

Spaarnestad Fotoarchief, Haarlem, 12, 14, 27, 30, 33, 35, 43, 46, 49, 53 boven, 54, 62, 65, 84 boven, 93, 97, 98, 102, 107, 110, 115 links, 117, 121, 125, 128, 174, 177, 182, 191 boven en onder

N. van der Stam, Amsterdam 183

D. van Uitert-Kaltofen 86, 123

R. de Wind, Maartensdijk 215